COMUNICAÇÃO & INTIMIDADE

COMUNICAÇÃO & INTIMIDADE

O segredo para fortalecer seu casamento

—

GARY CHAPMAN

Traduzido por Vanderlei Ortigoza

Copyright © 2014 por Gary D. Chapman
Publicado originalmente por B&H Publishing Group, Nashville, Tennessee, EUA.

Os textos bíblicos foram extraídos da *Nova Versão Transformadora* (NVT), da Tyndale House Foundation, salvo a seguinte indicação: *Almeida Revista e Corrigida* (RC), da Sociedade Bíblica do Brasil.

Todos os direitos reservados e protegidos pela Lei 9.610, de 19/02/1998.

É expressamente proibida a reprodução total ou parcial deste livro, por quaisquer meios (eletrônicos, mecânicos, fotográficos, gravação e outros), sem prévia autorização, por escrito, da editora.

Edição
Daniel Faria

Preparação
Paula Mazzini

Revisão
Natália Custódio

Produção e diagramação
Felipe Marques

Colaboração
Ana Luiza Ferreira
Marina Timm

Capa
Douglas Lucas

CIP-Brasil. Catalogação na publicação
Sindicato Nacional dos Editores de Livros, RJ

C432c
2. ed.

Chapman, Gary D., 1938-
Comunicação & intimidade : o segredo para fortalecer seu casamento / Gary Chapman ; tradução Vanderlei Ortigoza. - 2. ed. - São Paulo : Mundo Cristão, 2021.
296 p.

Tradução de: Now you're speaking my language
ISBN 978-65-5988-041-6

1. Casamento. 2. Comunicação no casamento. 3. Intimidade (Psicologia). 4. Comunicação interpessoal. I. Ortigoza, Vanderlei. II. Título.

21-73334
CDD: 392.5
CDU: 316-11

Camila Donis Hartmann - Bibliotecária - CRB-7/6472

Categoria: Relacionamentos
1ª edição (*Agora você está falando minha linguagem*): junho de 2008
2ª edição: dezembro de 2021 | 3ª reimpressão: 2025

Publicado no Brasil com todos os direitos reservados por:

Editora Mundo Cristão
Rua Antônio Carlos Tacconi, 69
São Paulo, SP, Brasil
CEP 04810-020
Telefone: (11) 2127-4147
www.mundocristao.com.br

Dedico este livro a
Karolyn,
com quem venho construindo um casamento de aliança
há mais de quarenta anos.

Sumário

Introdução   9

1. Comunicação: o caminho para a intimidade   13
2. Padrões prejudiciais de comunicação   21
3. Cinco níveis de comunicação   32
4. Casamento de contrato   46
5. Casamento de aliança   53
6. Casamento de aliança: sonho ou realidade?   72
7. Por que a intimidade é tão importante?   83
8. Conhecer a si mesmo: as experiências e suas interpretações   89
9. Conhecer a si mesmo: emoções, desejos e escolhas   98
10. A arte da autorrevelação   113
11. Preparação para o crescimento: prioridades e objetivos   127
12. Reservar tempo para as coisas importantes   139
13. Identificar as diferenças   153
14. Transformar as diferenças em vantagens   164
15. Por que fico na defensiva?   175
16. Vencer as barreiras da atitude defensiva   188
17. Intimidade: nu e desinibido   201
18. Então surgiram as roupas   210
19. Intimidade emocional   220
20. Intimidade intelectual   232
21. Intimidade sexual   244
22. Intimidade espiritual   265
23. Por que ninguém me contou isso antes?   289

Introdução

Acredito que a maioria dos casais, quando se casam, esperam um relacionamento de amor, apoio e cuidado mútuo. Ninguém se casa esperando fazer o outro infeliz. Quando me casei com Karolyn, esperava que trabalhássemos juntos como uma equipe, encorajando e ajudando um ao outro a alcançar objetivos significativos de vida. Tínhamos planos de ter filhos, e nossa intenção era sermos pais responsáveis. Nossos dois anos de namoro haviam sido cheios de entusiasmo e expectativa. Nosso ponto de partida era o desejo de fazer o outro feliz.

No entanto, seis meses depois da nossa cerimônia de casamento, nenhum de nós estava muito feliz, e também não estávamos fazendo um trabalho muito bom enquanto equipe. Anos depois descobri que não éramos os únicos casais que viam seus sonhos desaparecerem mediante a realidade do casamento. Sim, alguns casais têm um casamento saudável, no qual o casal se encoraja e vê seus sonhos se tornando realidade. O problema no nosso caso é que não tínhamos um manual de instruções que ensinasse como duas pessoas bem diferentes poderiam complementar uma a outra e construir um casamento mutuamente colaborativo.

Sou muito grato porque acabamos encontrando nosso caminho para sair desses anos de confusão e frustração e passamos a viver o casamento que nós dois queríamos desde o começo. Por mais de quarenta anos, experimentamos a alegria de ajudar um ao outro a alcançar seu potencial para Deus e para o mundo. Descobri que nada é mais prazeroso do que ajudar seu cônjuge a se tornar a pessoa que Deus quer que ele seja, e receber de seu cônjuge o mesmo tipo de apoio. Escrevo este livro na esperança de que ele ajudará casais a aprenderem lições que custaram tanto para nós descobrirmos.

Gosto de ilustrar o casamento como um trem que corre apoiado sobre dois trilhos fortes e paralelos: a comunicação e a intimidade. O motor que impulsiona esse trem a seu destino é o conceito bíblico de casamento de aliança. Muitas pessoas ouvem a palavra *aliança*, mas não fazem ideia do que ela significa. Nos capítulos a seguir, você descobrirá a diferença entre contrato e aliança, e como a aliança sagrada é, no casamento, o conceito fundamental.

Depois que entendemos e aceitamos a ideia de que o casamento é uma aliança, então podemos nos empenhar em aprender como comunicar nossos pensamentos, sentimentos, opinião, desejos, frustrações e sonhos de uma maneira positiva. Sendo humanos, cada um de nós é único. Isso significa que os pensamentos e sentimentos que experimentamos são inevitavelmente diferentes. Se um esposo espera que sua esposa concorde com seus pensamentos e ela espera que ele concorde com os pensamentos dela, ambos viverão sempre frustrados. Precisamos antes de tudo aceitar nossa humanidade e nos permitir a liberdade de pensar e sentir de formas diferentes. Nosso objetivo é utilizar nossas diferenças como vantagens, ao invés de desvantagens. Assim, nos próximos capítulos você descobrirá as habilidades que eu tenho procurado transmitir para centenas de casais no consultório de aconselhamento.

O segundo trilho envolve aprender a desenvolver intimidade no casamento. É fácil relacionar intimidade com relacionamento sexual, mas se não desenvolvermos uma intimidade intelectual, emocional, social e espiritual, jamais encontraremos a plenitude sexual. A intimidade é a essência da satisfação matrimonial. É a forma como nos sentimos profundamente conectados um ao outro.

A intimidade intelectual requer o compartilhamento de pensamentos e ideias sem medo de condenação. A intimidade emocional implica o compartilhamento dos sentimentos, sejam eles negativos ou positivos. A intimidade social tem a ver com compartilhar as experiências da vida. A intimidade espiritual tem a ver com compartilhar nossa jornada espiritual. Quando essas coisas acontecem, elas naturalmente levam a uma intimidade sexual.

Este não é um livro acadêmico cheio de ideias teóricas. Em vez disso, trata-se de um livro prático sobre o que é essencial para a criação de uma atmosfera emocional positiva, de modo a gerar uma comunicação honesta que resulte em compreensão e esforços conjuntos.

Para um maior impacto em seu casamento, sugiro que leiam os capítulos, juntos ou individualmente, e então discutam as questões no final de cada um deles. Seguindo esse padrão, você não apenas estará lendo sobre ideias que promovem uma comunicação e intimidade mais saudáveis, mas também estará vivenciando uma comunicação e intimidade mais saudáveis. Minha oração é que, sejam vocês recém-casados ou um casal há muitos anos, este livro os ajude a dar passos em direção a realização dos seus sonhos.

1
Comunicação: o caminho para a intimidade

Uma pesquisa entre casais divorciados registrou que 86% dos entrevistados apontaram "deficiências na comunicação" como o motivo do fracasso de seu casamento. Se isso for verdade, a comunicação conjugal deve ser um fator importantíssimo.

Comunicação implica autorrevelação da parte de uma pessoa e uma atitude de ouvir com atenção da parte do outro. Em sua forma mais simples, a comunicação é o ato de falar e ouvir. Contudo, se essa conversação não vier acompanhada de respostas honestas e amorosas por parte do ouvinte, haverá pouca comunicação. Na verdade, o resultado mais provável será comunicação ruim e mal-entendidos. Quando há boa comunicação conjugal, marido e esposa compartilham pensamentos, sentimentos, experiências, valores, prioridades e opiniões, enquanto ouvem um ao outro com empatia. Ambos compartilham no mesmo nível de honestidade e abertura.

Um dos propósitos principais deste livro é, evidentemente, examinar maneiras práticas de aperfeiçoar esse processo de forma que vocês passem a falar a linguagem um do outro.

O exemplo sublime de Deus

A comunicação de Deus com o homem serve de modelo para nossa comunicação conjugal. As Escrituras afirmam que Deus se comunicou de várias maneiras com os seres humanos ao longo da história por meio de anjos, visões, sonhos, natureza, criação e, de forma suprema, por meio de seu Filho, Jesus Cristo. Tudo isso está registrado na Bíblia. E como surgiu a Bíblia? "Esses homens foram impulsionados pelo Espírito Santo e falaram da parte de Deus" (2Pe 1.21). As Escrituras, portanto, são o registro das palavras de Deus e, desse modo, temos condições de conhecer a Deus porque ele falou conosco. Sabemos, porém, que muitas pessoas não têm um relacionamento com Deus porque não deram ouvidos à sua autorrevelação nas Escrituras ou rejeitaram-na e decidiram viver sem ele. Logo, essas pessoas não têm relacionamento e amizade com Deus e, assim, não há intimidade entre elas e o Criador.

Entretanto, para aqueles que aceitaram a Cristo, a intimidade com Deus se desenvolve em estágios. Alguns cristãos estão claramente mais perto de Deus do que outros. O cristão cresce em intimidade com Deus por meio da comunicação regular com o Senhor. Precisamos ouvir a Deus, por meio de sua Palavra, e corresponder-lhe com pensamentos, sentimentos e decisões honestas. Quando Deus fala, nós ouvimos; quando falamos, ele nos ouve. Por meio dessa interatividade gradativa, o indivíduo pode crescer em intimidade com o Criador do universo. Não há nada mais importante do que nos relacionarmos com Deus; essa relação influencia todos os aspectos de nossa vida, tanto agora como no futuro.

Isso também se aplica ao casamento de aliança: a comunicação conduz à intimidade. Em 1Coríntios 2.11, Paulo pergunta o que todos nós gostaríamos de saber: "Pois quem conhece os pensamentos de uma pessoa?". E responde: "o próprio espírito dela". Paulo está dizendo que somente o indivíduo sabe o que se passa em sua mente. Logo, não é verdadeiro o ditado:

"Eu o conheço como a palma da minha mão". Esposa, você pensa saber o que se passa na mente de seu marido, mas na verdade não sabe. Marido, você tem certeza de que não sabe o que se passa na mente de sua esposa, certo? Caso estejam casados há pelo menos trinta anos e tenham uma comunicação muita aberta, talvez haja alguma verdade no ditado acima. Todavia, no final das contas nunca alcançamos esse objetivo. Não é possível ler a mente do outro.

A linguagem corporal pode nos dizer algo sobre as pessoas pelo modo como cruzam os braços, sentam, cruzam as pernas, falam e pelas expressões faciais. De fato, podemos obter pistas sobre o comportamento de alguém, mas não há como saber o que se passa em sua mente pela simples observação. Por exemplo, podemos supor que uma mulher chorando esteja com problemas. Contudo, não há como dizer se chora por causa da perda de um filho ou do marido, se foi despedida do emprego, ou se acertou o dedo com um martelo. Também podem ser lágrimas de alegria. Somente saberemos o motivo se ela decidir nos contar.

A comunicação verbal é essencial para compreender o que se passa no íntimo das pessoas. Se decidirem não compartilhar conosco seus pensamentos, sentimentos e suas experiências, só nos resta adivinhar. Infelizmente, na maior parte das vezes nossas deduções são equivocadas e resultam em mal-entendidos. Por esse motivo, a comunicação é absolutamente essencial para alcançarmos intimidade. Se não nos comunicarmos, jamais viveremos o que Deus planejou para nós quando instituiu o casamento. À medida que entendermos o processo de comunicação e aprendermos a superar as barreiras comunicativas, nossa experiência com a intimidade nos trará a alegria que Deus planejou.

O primeiro passo

O livro que você tem em mãos foi planejado para aprimorar a comunicação e a intimidade. Veremos algumas das razões que levaram 86% dos divorciados a apontarem a deficiência de comunicação como a principal causa de divórcio. Porém, antes de entramos nessas questões, quero sugerir uma maneira fácil de aumentar sua comunicação: agendar um período de conversação diária com seu cônjuge. Casais que conversam todos os dias ao estilo "sente-se aqui e vamos conversar um pouco" possuem um nível de intimidade maior do que casais que conversam esporadicamente. Além disso, cônjuges que estabelecem períodos diários de conversação tendem a dialogar com maior frequência em outros momentos do dia.

Mas sobre o que conversar nesses períodos? Coisas simples que chamo de "requerimento mínimo diário": "Diga-me três coisas que aconteceram com você hoje e como se sente em relação a elas". Pesquisando, cheguei à conclusão de que 50% dos matrimônios em meu país não satisfazem esse requerimento mínimo diário. Quando comunico essa conclusão para os grupos de casais, sempre ouço: "Ah, mas já fazemos isso" ou "Tenho certeza de que minha esposa e eu compartilhamos pelo menos três coisas diariamente". Então, passo a investigar: "Muito bem. Nesse caso, por favor, compartilhem com o grupo três coisas sobre as quais vocês conversaram hoje". A resposta típica é: "Veja bem, não tivemos tempo para conversar hoje, pois queríamos chegar a tempo para esta reunião". Então, continuo: "Tudo bem, compartilhem três coisas sobre as quais conversaram ontem". A resposta é: "Bem, ontem tivemos reunião de pais e mestres na escola, não tivemos tempo para conversar". E vou adiante. "Certo. Então digam três coisas sobre as quais conversaram anteontem". E respondem: "Anteontem assistimos ao jogo de futebol na televisão. Não conseguimos conversar nessas ocasiões, principalmente quando nosso time perde". Talvez você também perceba que não está satisfazendo o requerimento mínimo diário.

Outros casais reclamam que tudo é sempre igual e não têm nada para falar. É sempre a mesma rotina, por isso não há necessidade de compartilhar. Mas a verdade é que ninguém passa pelas mesmas coisas todos os dias. Talvez o trabalho seja monótono; talvez façamos as mesmas coisas todos os dias. Contudo, temos pensamentos e sentimentos diferentes. Algumas coisas mudam todos os dias. Por exemplo, o trânsito tem padrões diferentes na ida e na volta para casa; o cardápio do almoço nem sempre é o mesmo; as conversas que temos com outras pessoas durante o dia são sempre distintas; as condições do tempo e outras informações que recebemos por rádio ou televisão variam de um dia para o outro. Talvez estejamos formulando desculpas para não conversamos com o cônjuge.

Mesmo assim, alguém dirá: "Mas é verdade! Nada de importante acontece em minha vida". Mas quem determina o que é importante? Almoçar é importante? Beber água é importante? Talvez sua vida não seja tão empolgante, mas se quiser intimidade em seu casamento, precisa aprender a compartilhar. Por exemplo, se teve um dia tedioso, diga isso a seu cônjuge e dê a ele a oportunidade de reagir a seu tédio. Se você não se revelar, seu cônjuge não terá como saber seu estado emocional, e sua única opção será tentar adivinhar o que está acontecendo. Geralmente essas suposições são equivocadas.

Todo casal precisa de um momento diário para conversar, ouvir e compartilhar a vida. Esse tempo de qualidade dedicado exclusivamente um ao outro é um dos exercícios mais importantes para desenvolver intimidade na relação conjugal. Muitos casais passam dias sem conversar, ambos ocupados demais com as próprias tarefas, e falam apenas o absolutamente necessário para dar prosseguimento à rotina diária. Em termos emocionais, distanciam-se cada vez mais.

Estamos falando aqui sobre a forma mais simples e básica de comunicação: compartilhar coisas comuns do dia a dia e como nos sentimos em relação a elas. Esse hábito servirá de alicerce para edificar a comunicação de nível mais íntimo e, por vezes, mais difícil.

Casais que desejam um relacionamento íntimo devem compartilhar não apenas coisas que vivem todos os dias, mas também como se sentem sobre esses acontecimentos. Por exemplo, o marido chega do trabalho e comunica à esposa que terá um aumento de salário. Ela pergunta:

— Querido, como se sente sobre isso?

— Muito bem! Pensei que esse aumento viria somente no próximo ano.

No entanto, ele poderia responder:

— Quer saber a verdade? Estou muito chateado. Achei que receberia no mínimo o dobro de aumento.

Seja qual for a resposta, ele compartilhou um pouco de sua vida emocional e deu à esposa oportunidade para conhecê-lo um pouco melhor, fazer parte de seu mundo e aprofundar a intimidade conjugal. Se ele não compartilhar esses sentimentos verbalmente, a esposa terá de inferir seu estado emocional a partir de seu comportamento físico. Entretanto, a comunicação será muito mais clara se ele verbalizar esses sentimentos à esposa. Somos criaturas emocionais, e nossos sentimentos são reações às coisas que acontecem conosco durante o dia. Se quisermos construir intimidade no casamento, precisamos aprender a compartilhar nossos sentimentos.

Para muitos casais, a comunicação diária ocorre da seguinte maneira: a esposa e o marido chegam em casa e ela pergunta:

— Como foi seu dia?

— Ótimo — ele responde.

Então ele liga a televisão para assistir ao noticiário, ou talvez vai ao quintal cortar a grama. Apesar de estarem separados e sem comunicação durante oito a dez horas seguidas, esse marido resumiu seu dia em apenas uma palavra: *ótimo*. E o marido ainda se pergunta por que sua esposa reclama que eles não têm mais intimidade no casamento! Uma única palavra não é um resumo adequado para um marido que passou dez horas em atividade longe da esposa. Precisamos aprender a estabelecer períodos diários de comunicação.

* * *

A boa comunicação é o caminho para a intimidade. A má comunicação conduz o casal a becos sem saída e inúmeros desvios. Nos capítulos seguintes, meu objetivo é providenciar um mapa que os ajude a chegar ao destino: um casamento de aliança construído pela comunicação construtiva. Começaremos estudando, no capítulo 2, alguns modelos adoecidos de comunicação. A boa comunicação exige a identificação e a remoção desses obstáculos para, em seguida, encontrarmos uma forma melhor de nos comunicarmos, visando a compreensão e a intimidade.

Questões para refletir

1. Cite uma ocasião do seu casamento que você gostaria de revisitar. Por quê?
2. Pense em dois casais cuja companhia você aprecia — um recém-casado e outro casado há mais de trinta anos. O que admira neles? Você deseja a descontração demonstrada pelo casal mais jovem? Deseja o respeito mútuo demonstrado pelo casal mais maduro? O que faz com que cada um desses casais seja uma companhia tão agradável?
3. Se você pudesse observar seu cônjuge nas horas em que não estão juntos, o que gostaria de saber sobre ele?
4. Cite algo que você fará esta semana para incentivar seu cônjuge.

Aceitamos

Como casal, comprometam-se a sentar e conversar por no mínimo dez minutos por dia. Se preferirem, utilizem o "requerimento mínimo diário" sugerido. Esse tempo só não pode ser dividido com outras coisas. Não pode ser enquanto alimentam a família, passeiam com o cachorro, acompanham as crianças em um jogo ou trabalham. E não deve haver interrupções — sem crianças, cachorro, celulares ou outros aparelhos eletrônicos. Apenas você e seu cônjuge, em um lugar tranquilo, com o foco um no outro por no mínimo dez minutos. Olhem-se nos olhos, conversem, ouçam e compartilhem.

2
Padrões prejudiciais de comunicação

A comunicação não é como uma palestra a que se assiste e pronto, assunto encerrado. A comunicação se parece mais com a respiração: não há como viver sem ela. A intimidade também não é algo que adquirimos e retemos para sempre, como se pudéssemos colocá-la a salvo num cofre. Pelo contrário, é fluida e está diretamente relacionada à qualidade da comunicação conjugal.

Mas a comunicação por si só não é suficiente. Para ter intimidade, é preciso uma comunicação saudável. A comunicação prejudicial pode destruir a intimidade assim como inspirar fumaça tóxica pode causar a morte. Em nossa busca por estabilidade emocional, desenvolvemos padrões de comunicação. Esses, por sua vez, são sistemas que desenvolvemos para reagir a nosso cônjuge e nos comunicar com ele. Depois de algum tempo, esses padrões são assimilados de maneira tão automática que passamos a agir como se fossem naturais.

Alguns desses padrões de comunicação são construtivos e nos levam à intimidade no casamento. Mas muitos são nocivos e afastam os cônjuges em vez de uni-los. Muitos casais têm interesse genuíno na intimidade, mas não sabem que seus padrões de comunicação os desviam desse objetivo, distanciando-os cada vez mais. Por isso, precisamos identificar esses padrões prejudiciais antes de corrigi-los. Estudiosos que observam o casamento há vários anos descobriram uma série de padrões nocivos à intimidade conjugal. Esses modelos são passados de pai para filho, e é comum se repetirem geração após geração.

A boa notícia é que podem ser interrompidos por qualquer casal disposto a examiná-los e efetivar os ajustes necessários.

As quatro "aves"

Ao observar os padrões de comunicação de nossos pais, podemos mais facilmente identificar os nossos. Neste capítulo, estudaremos quatro padrões prejudiciais. Eles podem ser identificados com maior facilidade se observarmos o comportamento de nossos pais. Examine o modelo de comunicação de seus pais e verifique se algum dos padrões apresentados a seguir está presente no casamento deles. Depois, analise se os padrões de comunicação de seu casamento são semelhantes ou diferentes. Caso sejam diferentes, procure explicar em que sentido diferem. Quase todos esses padrões nocivos surgem da necessidade de estabilidade emocional, de sentir-se bem consigo mesmo, mas acabam destruindo a intimidade conjugal. Esses padrões prejudiciais podem ser memorizados quando comparados a quatro aves: a pomba, o falcão, a coruja e o avestruz.

A pomba: "Eu quero paz, custe o que custar"
Nesse modelo, um dos cônjuges procura apaziguar o outro a fim de evitar seu ódio. Frases comuns daqueles que adotam essa estratégia são: "Por mim, tudo bem" ou "O que está bom para você, está bom para mim". A pomba está sempre tentando agradar a outra pessoa e constantemente pede desculpas, até para coisas pequenas que poderiam provocar a raiva do cônjuge. A pomba quase nunca discorda do cônjuge, independentemente do sentimento dela própria sobre a questão.

Anos atrás aconselhei um homem cuja esposa o havia abandonado após 25 anos de casamento. Quando lhe perguntei o que aconteceu, ele respondeu: "Analisei a situação e creio que descobri a razão. No começo, minha esposa fazia muitas coisas que me irritavam. Mas, como você sabe, sou um pacificador e não gosto de conflitos. E, como você também sabe, minha esposa tem uma personalidade forte. Quando eu discordava ou mencionava algo que a irritava, ela explodia de raiva. Portanto, para evitar esse tipo de coisa, passei a ficar longe dela. Quando conversávamos, qualquer coisa que ela quisesse, fizesse ou desejasse estava bom para mim, mesmo que por dentro eu não concordasse".

Ele fez uma pausa e continuou:

"Olhando para trás, percebo que passei a trabalhar mais, e quando estava em casa, passava mais tempo no computador e menos tempo com ela. Naquela época não vi o que estava fazendo, mas agora, em retrospectiva, percebo que me afastei emocionalmente para evitar o conflito. Passei a me envolver mais com o trabalho e a igreja, e ela fez o mesmo. Pouco a pouco fomos nos afastando. As discussões pararam, mas depois de algum tempo também paramos de nos relacionar. No final, acho que ela simplesmente resolveu que a vida deveria ser muito mais do que nossa experiência juntos e me deixou para ir em busca disso".

Na tentativa de evitar o conflito e manter sua estabilidade emocional protegida, esse homem abandonou qualquer possibilidade de relação íntima. É um exemplo clássico do que acontece com aqueles que utilizam a estratégia da pomba. De fato, a paz a qualquer custo tem um preço alto.

O falcão: "A culpa é sua"

O falcão acusa o cônjuge por tudo, tornando-se o chefe da casa ou ditador, aquele que está sempre no comando e nunca faz nada errado. Uma declaração típica do falcão é: "Você nunca faz nada certo, sempre estraga tudo. Não entendo como você consegue ser tão estúpido. Se não fosse você, as coisas estariam bem melhores agora".

O falcão parece ser aquele tipo de pessoa forte e beligerante, mas na realidade é alguém emocionalmente fraco, que se sente insatisfeito consigo mesmo. Para evitar esse sentimento, precisa de alguém em quem possa mandar e a quem possa humilhar. Esse padrão de culpar os outros, portanto, foi desenvolvido para suprir sua deficiência emocional. A forma como o outro cônjuge reage ao ataque do falcão depende muito de seu padrão emocional. Por exemplo, se tiver baixa autoestima, poderá acreditar nas coisas que o falcão diz e aceitá-las como verdade. No entanto, se tiver uma autoestima saudável e estiver bem consigo mesmo, é provável que haverá discussões e o relacionamento será caracterizado por brigas.

Brad tinha dificuldade em permanecer empregado por muito tempo.

Durante muitos anos, antes do casamento, seu padrão de comportamento era arranjar trabalho temporário, nunca permanecendo mais do que seis meses em cada um. Quando se casou, ele ainda morava com os pais e não possuía um carro. Depois do casamento, passou a culpar a esposa pelos problemas: era culpa dela que o carro ficou sem gasolina enquanto ele dirigia (detalhe: o carro era da esposa, que o possuía antes de se casarem); era culpa dela que a companhia elétrica cortou a eletricidade por falta de pagamento; e era culpa dela que suas roupas estavam sempre sujas, apesar de morarem perto de uma lavanderia e ele utilizar o carro dela o dia todo no sábado. "Ela poderia ter ido a pé até a lavanderia", argumentava.

Sua esposa, Madelyn, tinha baixa autoestima e oscilou por anos entre dois padrões de reação: simplesmente aceitava o comportamento do marido, e quando o nível de mágoa atingia certo limite, abandonava-o por algumas semanas. Depois de algum tempo a solidão incomodava, e ela voltava para o marido, recomeçando o círculo vicioso. Obviamente, havia pouca intimidade no relacionamento deles. Sexo? Sim, de vez em quando. Intimidade? Não.

Como sabemos, ninguém pode estar errado o tempo todo enquanto o outro está sempre certo. Contudo, o falcão não considera os fatos algo importante. Raramente espera uma resposta a suas acusações, pois o mais importante para ele é sua própria opinião, e não o que a outra pessoa pensa. Isso me lembra Provérbios 18.2: "O tolo não se interessa pelo entendimento; só quer saber de expressar suas opiniões".

A coruja: "Seja razoável"

É aquele tipo de pessoa calma, controlada, que sempre mantém a compostura. Nesse modelo de comunicação, a pessoa não demonstra seus sentimentos, sempre utiliza as palavras corretas e não revela suas emoções quando o cônjuge discorda. Parece agir mais como um computador do que como ser humano. A coruja sempre responde às perguntas de forma lógica e explica pacientemente tudo o que for possível sobre a questão. Suas explicações são tão razoáveis que você se pergunta como as pessoas ousam pensar de outro modo. A coruja, em geral, considera-se uma pessoa razoável e inteligente e orgulha-se de não demonstrar suas emoções. Quando as outras pessoas exibem emoções, a coruja espera pacientemente até que a tempestade se acalme, e depois prossegue com seu raciocínio.

Uma esposa me disse certa vez: "Meu marido é tão razoável que me deixa louca. Passa horas me explicando coisas como se eu fosse uma criança pequena que não sabe nada. Nunca se descontrola comigo. Apesar de me deixar falar, não ouve o que estou dizendo. Por isso, na maioria das vezes não falo nada, pois não adianta nada". Você acha que essa mulher está sendo encorajada a ter intimidade com o marido? Quem gostaria de fazer sexo com um computador? Esse padrão de comunicação não promove a intimidade em nenhum nível do casamento.

O que se passa no íntimo da coruja varia de pessoa para pessoa, mas em geral esse indivíduo se sente vulnerável. Seu empenho em ser ultrarracional é planejado principalmente para convencer-se de seu próprio valor e de suas habilidades intelectuais. É uma forma de compensação em relação a sentimentos de inferioridade e inadequação. A coruja sente-se emocionalmente segura se puder controlar suas emoções e utilizar a razão para resolver os problemas. Logo, esse padrão funciona como um substituto emocional para a coruja, mas o relacionamento conjugal acaba sendo prejudicado.

O avestruz: "Ignore e tudo ficará bem"

Basicamente, o padrão do avestruz é ignorar as ações e os comentários da outra pessoa, em especial se forem diferentes dos seus. É raro o avestruz responder diretamente ao que o outro disse. Não responde de forma negativa; simplesmente não responde, ou então prefere mudar de assunto. O avestruz é um ativista. Se gosta de falar, tagarelará sobre alguma coisa sem nexo. Se gosta de agir, estará em constantes atividades desconexas. Se você perguntar o que ele está fazendo, não receberá uma resposta direta, pois nem ele mesmo sabe se o que faz tem alguma relação com outra coisa.

Muitas vezes, o avestruz desenvolve uma abordagem monótona à conversação, e geralmente seu tom de voz não condiz com suas palavras. Se o interromper em seu discurso e fizer comentários, ele voltará a falar novamente sem nenhuma conexão com o que você disse ou com o que ele mesmo estava falando antes. Ou seja, sua conversa caminha em todas as direções e raras vezes chega a alguma conclusão.

Certa vez um marido me contou sobre sua esposa: "Não consigo conversar, pois ela fala muito e não diz nada. Quando comento ou pergunto algo sobre o que estava falando, ela me ignora ou então pergunta algo que não tinha nada a ver com minha pergunta. Não consigo discutir ideias, pois ela não permanece no mesmo assunto. Ela tem a capacidade de falar sobre dez assuntos diferentes sem nunca voltar ao principal". Percebe a frustração desse marido? Ele não sabe se ela não quer falar com ele ou se simplesmente ela não tem essa habilidade. No entanto, sabe que eles não têm um relacionamento íntimo.

Em sua maioria, aqueles que adotam o padrão de comunicação do avestruz imaginam-se como pessoas que não se "encaixam". Pensam que não há lugar no mundo para eles. Essa percepção desenvolveu-se na infância e os persegue até a fase adulta. O discurso e o comportamento do avestruz refletem sua percepção interior. É bastante óbvio que esse padrão se torna prejudicial no desenvolvimento da intimidade no casamento.

Às vezes, o avestruz recusa-se a admitir ou discutir problemas porque teme entrar em conflito, coisa que o perturba muito e, por isso, evita a todo custo. O avestruz acredita sinceramente que ignorar o conflito fará com que desapareça. No entanto, não percebe que o problema nunca se resolve e vai se acumulando como uma barreira à intimidade conjugal.

Os quatro padrões de comunicação que estudamos acima são prejudiciais à intimidade no casamento e nocivos à intimidade intelectual, emocional, social, espiritual e física. Infelizmente, em vez de encontrar respostas para esses padrões nocivos, muitos cristãos procuram motivos bíblicos para justificar tais comportamentos. Por exemplo, a pomba citará versículos como Romanos 12.18: "No que depender de vocês, vivam em paz com todos", ou 1Coríntios 13.5, em que lemos que o amor "não exige que as coisas sejam à sua maneira. Não é irritável, nem rancoroso".

O falcão se sentirá atraído por passagens como Salmos 143.12, que rogam a Deus vingança contra os inimigos, além dos versículos do Novo Testamento em que Jesus vira a mesa dos cambistas (Mt 21.12-13). A coruja citará Isaías 1.18: "'Venham, vamos resolver este assunto', diz o Senhor". O avestruz seguirá a linha de raciocínio de Jonas, que disse para Deus: "Antes de eu sair de casa, não foi isso que eu disse que tu farias, ó Senhor? Por esse motivo fugi para Társis! Sabia que és Deus misericordioso e compassivo, lento para se irar e cheio de amor. Estás pronto a voltar atrás e não trazer calamidade" (Jn 4.2-3). E qual foi a conclusão de Jonas? "Deveria ter ficado em casa". Esse tipo de pessoa conclui que, de alguma forma, tudo se resolverá. Logo, por que se preocupar? Usar a Bíblia para justificar nossos padrões nocivos de comunicação me faz lembrar as palavras de Pedro sobre deturpar as Escrituras em benefício próprio (2Pe 3.16).

Estabelecendo padrões saudáveis

Como corrigir esses padrões nocivos? Considere as seguintes ideias: primeiro, devemos identificá-los, pois não podemos mudá-los até que estejamos cientes deles. Conforme proposto anteriormente, podemos começar nossa investigação observando os padrões de nossos pais, para depois verificarmos os padrões de nosso próprio casamento.

Em segundo lugar, reconheça que esses padrões causam dano à sua intimidade conjugal. Confesse diante do espelho: "Sou uma coruja, e a maneira como me comunico com meu cônjuge é prejudicial à nossa intimidade conjugal". Falar em voz alta para si mesmo facilitará admitir isso para o cônjuge.

Decida que você deseja mudar seu padrão. A maioria das mudanças positivas em nossa vida acontece porque decidimos que elas vão acontecer. Deus nos confiou um poder enorme quando nos concedeu a vontade. A Bíblia enfatiza bastante a escolha humana. Assim, a comunicação saudável depende, basicamente, de uma decisão. Quando decidir mudar seu padrão prejudicial, você terá a ajuda do Espírito Santo, sempre presente para capacitá-lo a interromper esses padrões destrutivos.

Substitua os padrões antigos de comunicação por padrões novos. Essa é a ênfase da epístola de Paulo aos Efésios, quando fala de nos despojarmos da velha natureza e nos revestirmos da nova natureza (Ef 4.22-24). Nas páginas a seguir, você encontrará vários padrões de comunicação construtivos. Se aplicá-los a seu casamento, poderão interromper os padrões destrutivos do passado.

Reconheça quando voltar aos padrões antigos, pois não haverá mudanças da noite para o dia. As recaídas acontecerão, mas elas não significam fracasso; são inerentes ao processo de mudança de qualquer hábito.

Será útil fazer uma checagem periódica com seu cônjuge. Peça um retorno honesto. Por sua própria natureza, hábitos e padrões tendem a ser persistentes e, por isso, precisamos discutir nosso progresso regularmente. Pergunte ao seu cônjuge: "Seja honesto comigo. Retornei aos velhos hábitos nesta semana?". Isso dará oportunidade para que ele seja honesto. Se feitas num contexto de amor e carinho, essas sessões de avaliação podem ser extremamente valiosas.

***

Você não precisa continuar nos padrões destrutivos que aprendeu com seus pais e incorporou à sua personalidade. Com o auxílio de Deus, pode despojar-se do velho padrão e revestir-se de um novo padrão de comunicação na forma de ouvir e falar com seu cônjuge. Voltemos nossa atenção para a dinâmica dos modelos de comunicação saudáveis. Começaremos observando cinco níveis de comunicação.

QUESTÕES PARA REFLETIR

1. Qual a diferença entre comunicação e comunicação saudável?
2. Como seus pais se comunicavam? Na infância, você se sentia seguro e protegido quando eles não concordavam com algo? Por quê?
3. Com qual das "quatro aves" você mais se identifica? Ser honesto talvez seja doloroso, mas responda com honestidade.
4. O que Efésios 4.22-24 significa para você, tendo em vista uma comunicação saudável ou prejudicial?
5. Cite algo que você fará esta semana para incentivar seu cônjuge (verbalmente ou não).

Aceitamos

Durante o tempo que reservarem para conversar hoje, diga para seu cônjuge: "Eu sou um (diga o nome da ave) e isso causou um impacto negativo em nossa comunicação; quero verbalizar minha falha. Comprometo-me em mudar isso pelo bem da nossa união. Talvez leve um tempo, por isso peço sua paciência e apoio. Gostaria que avaliássemos meu progresso com alguma frequência. Então, quando eu perguntar se estou regredindo aos padrões antigos, quero que me responda com honestidade. Você pode fazer isso?". Você talvez queira expandir essa declaração citando exemplos de seu próprio comportamento em relação a um evento ou situação, mas mantenha o foco em você e no que pretende fazer.

3
Cinco níveis de comunicação

Tão importante quanto identificar certos padrões de comunicação é entender que existem vários níveis de comunicação. Nem toda comunicação têm o mesmo grau de importância. Alguns níveis promovem mais intimidade do que outros. É claro que nos comunicaremos em todos esses cinco níveis, mas na relação conjugal almejamos passar mais tempo nos níveis superiores. Neste capítulo, analisaremos cinco níveis de comunicação para que você possa identificar em qual nível está em qualquer conversação. Essa informação poderá elevar o nível de comunicação com seu cônjuge e, assim, desenvolver mais intimidade. Visualize esses cinco níveis como uma escada ascendendo a uma plataforma superior onde se encontra a comunicação aberta e honesta.

Nível 1: Conversa de corredor: "Tudo bem, e você?"

A comunicação no nível 1 representa a conversa típica de corredor, seja na igreja ou no trabalho. Tempos atrás, estava andando pela igreja que frequento e notei, a distância, um zelador trabalhando. Quando me aproximei dele, virou-se e disse: "Tudo bem, e você?", e eu respondi: "Tudo bem", e continuei andando. Só depois percebi que eu não tinha dito "Como vai você?". A resposta dele era tão automática que bastava alguém se aproximar para induzi-la. Esse nível de comunicação é claramente superficial, mas todos nós o empregamos com frequência. Se estiver caminhando por um corredor extenso, provavelmente você ouvirá uma série de "Tudo bem, e você?" antes de chegar ao elevador.

A comunicação de nível 1 refere-se à conversa superficial, aquelas coisas agradáveis e civilizadas que dizemos uns aos outros durante o dia. São frases prontas que pronunciamos de modo quase automático por força do hábito adquirido desde a infância; é parte de nossa cultura. Geralmente damos pouca atenção ao que significam, mas se refletirmos sobre o que estamos dizendo, perceberemos que somos sinceros. A verdade, porém, é que não pensamos muito sobre nossas palavras nesse nível de comunicação: "Amo você", "Tenha cuidado", "Até depois", "Boa noite", "Tenha um bom dia". Essas e outras frases que pronunciamos o dia todo constituem o primeiro degrau na escada da comunicação.

Não devemos pensar que são frases inúteis; representam atitudes positivas e são pronunciadas em reconhecimento à presença de outra pessoa. Caso duvide do valor que elas têm, deixe de pronunciá-las e veja o que acontece. Ou, pior ainda, substitua por declarações negativas. Por exemplo, em vez de dizer: "Tenha cuidado", diga: "Espero que você seja atropelado no caminho para o trabalho" e observe a reação de seu cônjuge. Portanto, nossos muitos "Tudo bem, e você?" têm valor. Para casais que passam dias sem se falar, esse tipo de comunicação representaria um grande progresso; até mesmo um "bom dia" seria um sinal de afeto.

A maior parte da comunicação na esfera social ocorre nesse nível. Por exemplo, Bryan diz a Nathan:

— Que bom ver você, Nathan. Como vai?
— Estou bem, Bryan, obrigado. Como está sua família?
— Bem, muito bem, obrigado. E sua família, como vai?

— Estão todos bem!

Na realidade, a esposa de Nathan está gripada faz três semanas, e no mês passado descobriram que a filha mais nova está com problemas de aprendizagem. A mãe de Bryan morreu faz poucas semanas, e no dia anterior à conversa com Nathan sua esposa lhe disse que, se as coisas não mudarem, ela vai deixá-lo. No entanto, eles não se sentem à vontade para compartilhar essas coisas, ou talvez não seja o lugar nem o momento adequado para isso. Na verdade, a única resposta esperada nessas circunstâncias é "Tudo bem, e você?".

Algumas pessoas nunca conseguem ir além desse nível. Anos atrás, uma esposa jovem, cujo marido era piloto de avião, me disse: "Meu marido passa três dias em casa e três dias fora. Quando ele retorna, pergunto: 'Olá, querido, como foi?', e ele me responde: 'Tudo bem'. Três dias longe de casa, e tudo o que recebo é um 'Tudo bem'!", gritava. Resumir três dias de trabalho em apenas duas palavras não é suficiente para essa esposa sentir-se próxima do marido. Alguns casais passam dias se comunicando apenas nesse nível; não deveriam ficar surpresos com a falta de intimidade no relacionamento.

Nível 2: Conversa de repórter: "Quero só os fatos"

A comunicação no nível 2 resume-se apenas aos fatos: quem, o que, quando e onde. O casal troca informações sobre o que viram e ouviram, onde e quando ocorreu, mas não compartilham suas opiniões sobre os acontecimentos. Por exemplo, a esposa diz ao marido:

— Conversei com Myra hoje pela manhã e ela me contou que Paul está doente faz seis dias. O médico recomendou que ele voltasse ao hospital para fazer mais alguns exames.

— Hum — responde o marido.

— Ela disse que Paul reclama de dor nas costas, mas depois de seis dias de repouso, parece que não está melhorando.

— Hum.

E assim a esposa continua relatando outros fatos, ou então muda de assunto. Talvez o marido mude de assunto e pergunte:

— O Júnior encontrou o cachorro?

— Sim — responde a esposa. — Um dos vizinhos prendeu o cachorro no quintal, mas não sabia quem era o dono dele. O Júnior ouviu o latido e foi buscá-lo.

Então o marido se levanta e vai para o quintal cortar a grama.

Nesse nível de comunicação, compartilhamos somente informações factuais; não opinamos sobre os fatos nem perguntamos a opinião do outro; não expressamos ideias nem sentimentos sobre as informações que ouvimos ou falamos.

A conversa de repórter envolve muitas áreas da vida: a que horas começa o programa musical da igreja, onde será o almoço, quanto custa para replantar a grama do quintal, quando é a comemoração do aniversário de um amigo, quando serão as férias escolares. Esse é o tipo de informação que compartilhamos no nível 2.

Não estou dizendo que esse nível de comunicação não seja importante; o êxito de muitas coisas depende dessa troca de informações. Muitos cônjuges já compareceram a restaurantes diferentes porque não houve clareza nesse nível de comunicação. Certa vez me confundi e compareci à igreja errada para celebrar um casamento. Quando finalmente cheguei ao lugar certo, o pianista havia tocado duas vezes todas as músicas do repertório e os convidados estavam se perguntando se a noiva havia mudado de ideia.

A informação factual é importante. Sem ela, a vida seria bastante difícil. Contudo, a questão é que casais com dificuldades no relacionamento geralmente se comunicam só nesse nível. Na verdade, centenas de casamentos operam nesse nível; compartilham apenas os fatos necessários para o cotidiano, e nada mais. Casais que se comunicam regularmente no nível 2 imaginam que têm uma boa comunicação. Na realidade, há pouco desenvolvimento de intimidade intelectual, emocional, espiritual ou física nesse nível de comunicação.

Nível 3: Conversa intelectual: "Quer saber minha opinião a respeito disso?"

A conversa de nível 3 vai além dos fatos. Nela, compartilhamos nossas opiniões, interpretações ou julgamentos sobre determinado assunto e, dessa forma, permitimos que a outra pessoa conheça o modo como processamos essas informações. Isso pode ser ilustrado por meio das declarações a seguir: "Estou pensando em comprar um carro com o dinheiro da restituição do imposto de renda", "Acho que a igreja deveria destinar mais dinheiro para as missões no exterior", "Gostaria de ir à praia no próximo final de semana", "Se Randy não melhorar suas notas na escola, acho que não devemos comprar um computador para ele". Essas declarações representam um nível mais alto de comunicação.

Voltando à conversa sobre a doença de Paul, como esse casal poderia avançar do nível 2 para o nível 3? Vamos imaginar o marido respondendo: "Quer saber minha opinião? Acho que Paul deveria consultar um quiroprático. Você se lembra daquele meu problema nas costas no ano passado e que o médico me disse para ficar imobilizado durante três dias? Mas, em vez disso, fui ao quiroprático e fiquei bom com apenas uma sessão de meia hora. Acho que o Paul precisa de um quiroprático".

Nessa declaração, baseado em sua experiência, o marido compartilha com a esposa uma opinião sobre o caso de Paul e no processo revela algo sobre si mesmo. A esposa poderia responder: "Não sei se isso seria bom para ele. Você se lembra do Jeff? Ele se consultou com um quiroprático durante seis meses e acabou pior do que antes. Não, acho que isso não seria o melhor para ele". Compartilhando opiniões sobre o assunto, marido e esposa avançam um degrau na escada da comunicação.

Evidentemente, a possibilidade de conflitos ou divergências no nível 3 é maior do que nos níveis 1 e 2. Caso o marido tenha problemas de baixa autoestima e sinta-se inseguro, poderá abandonar a conversa nesse momento, pois não gosta de enfrentar oposição da esposa. No entanto, caso tenha uma personalidade diferente, poderá persistir no assunto e começar um sermão sobre a importância da quiroprática.

Nesse nível de conversa, em geral prestamos atenção à maneira como o outro reage. Se houver reação positiva por parte do ouvinte, a pessoa que fala prosseguirá com o assunto, comentando e questionando. Mas se a reação for negativa, quer em palavras, quer em expressões faciais (franzir a testa, levantar as sobrancelhas, bocejar, estreitar os olhos), então a pessoa que fala poderá encerrar a conversa rapidamente ou mudar para um assunto de menor conflito. Alguns casais conversam pouco no nível 3 porque não gostam de ver suas ideias e opiniões sendo questionadas. Sentem-se emocionalmente ameaçados; portanto, batem em retirada para os níveis 1 e 2 e talvez nunca cheguem ao nível 4.

O objetivo dessa comunicação progressiva permite aos cônjuges liberdade para pensarem diferente um do outro. Não é necessário que o casal tenha a mesma opinião sobre tudo. Por exemplo, o marido pode afirmar a importância da quiroprática enquanto a esposa adota outro conceito. Essa diferença de pensamento não precisa abalar a intimidade do casal. Mas, quando um dos cônjuges tenta impor suas opiniões ao outro, a intimidade desaparece e cede lugar à discussão ou ao silêncio.

Nível 4: Conversa emocional: "Sabe como me sinto?"

Nesse nível dividimos nossas emoções e nossos sentimentos em relação aos acontecimentos. Por exemplo, "magoado, desapontado, com raiva, feliz, triste, animado, entediado, romântico, mal amado, ou solitário" são expressões que utilizamos no nível 4. Para a maioria das pessoas, compartilhar sentimentos é mais difícil do que compartilhar pensamentos, pois sentimentos representam coisas mais íntimas. Podemos participar de um grupo e compartilhar livremente sobre qualquer pensamento sem, contudo, nunca revelar nossos sentimentos sobre o grupo. Na realidade, nossos pensamentos podem, com frequência, camuflar nossos sentimentos. Por exemplo, o marido diz à esposa que o sermão do pastor foi muito extenso, mas no íntimo ele pode estar irritado porque o sermão estimulou um sentimento de culpa quanto a suas fraquezas. Seu pensamento focalizou a duração do sermão, porém suas emoções estavam relacionadas ao conteúdo.

Passar do nível 3 para o nível 4 pode exigir um salto gigantesco. Quando compartilho meus sentimentos, existe a possibilidade de os outros não gostarem e ficarem desapontados ou irritados comigo. Nesse caso, eu teria muita dificuldade para lidar com essa rejeição e, consequentemente, relutaria em compartilhá-los de novo. Arriscamos muito ao compartilhar nesse nível, porém é onde encontramos maior potencial para um nível superior de intimidade.

Nossos sentimentos a respeito das coisas demonstram, da maneira mais vívida possível, nossa singularidade como seres humanos, pois ninguém sente exatamente a mesma coisa sobre determinado assunto. Ainda que duas pessoas cheguem à mesma conclusão, não sentem a mesma coisa. Por exemplo, marido e esposa decidem frequentar determinada igreja. Mesmo que ambos concordem plenamente com essa decisão, haverá sentimentos diferentes baseados em suas histórias pessoais. O marido sabe que isso é a coisa certa a fazer, mas por dentro teme a reação da mãe ou talvez se sinta um traidor quanto às convicções do avô, que foi pastor em outra denominação. Talvez tenha medo da reação de seu chefe, que frequenta uma terceira denominação. Talvez espere que o pastor não enfatize tanto o dízimo, pois sente que nesse momento não tem condições de contribuir. Talvez se sinta animado quanto à possibilidade de lecionar para um grupo de jovens na escola dominical. Ou talvez espere sentar-se discretamente no fundo da igreja e passar despercebido. Sua esposa terá outras emoções em razão de suas próprias experiências e personalidade. Somos indivíduos únicos. Quando compartilhamos nossos sentimentos, revelamos nossa personalidade. Portanto, há potencial para intensificar nossa intimidade conjugal nesse nível de comunicação.

Muitos casais raramente comunicam-se nesse nível porque temem que suas emoções não serão aceitas. Por exemplo, a esposa diz ao marido:

— Tenho me sentido muito deprimida nesses dias.

— Deprimida? Mas, mulher, como pode se sentir deprimida com tudo o que tem?

Provavelmente essa conversa terminará por aqui e a esposa não terá ânimo para compartilhar seus sentimentos dali em diante. Quando reprimimos nossos sentimentos, só resta ao cônjuge imaginar o que se passa em nosso íntimo.

Muitas vezes os cônjuges interpretam-se incorretamente e desenvolvem mal-entendidos. Voltando à conversa sobre a quiroprática, vamos imaginar que o marido diga à esposa: "Sabe, estou começando a perceber que, seja qual for minha opinião, você automaticamente vai pensar o oposto. Se acredito na quiroprática, então você vai odiar os quiropráticos. Se achar que ir às reuniões de pais e mestres é perda de tempo, você vai pensar que é a melhor coisa do mundo. Acho que você não gosta mais de mim, e a forma que encontrou de comunicar isso é discordar de tudo o que digo".

Diante de uma declaração tão honesta, talvez sua esposa fique na defensiva e, dependendo de sua personalidade, comece a chorar ou expressar raiva verbalmente dizendo que a teoria do marido é um absurdo. Ou quem sabe responda de modo mais construtivo: "Sinto muito, não sabia que você se sentia desse jeito. Fale mais sobre isso". Se responder assim, concederá ao marido oportunidade para ele expressar seus sentimentos com liberdade, e assim ela também poderá fazer o mesmo. Caso ela prossiga nessa abordagem construtiva, o casal se sentirá mais unido ao final do diálogo. Mas, se optar por uma resposta contrária, a conversa provavelmente retornará ao nível 2 ou 3.

A fim de estimular a comunicação, precisamos aceitar o fato de que temos sentimentos diferentes. Alguém pode sentir-se encorajado por um sermão, porém outro se sente acusado. Devemos permitir liberdade mútua para expressar nossos sentimentos e ouvir com empatia o que o outro tem a dizer. Se pudermos desenvolver esse ambiente de acolhimento, passaremos cada vez mais tempo nesse nível superior e nossa intimidade aumentará.

Nível 5: Conversa genuína e amorosa: "Sejamos honestos"

Nesse nível, chegamos ao ápice da comunicação. Gostaria de representá-lo como a plataforma em que construímos um casamento saudável e com alto grau de intimidade. Aqui, podemos falar a verdade em atitude de amor; somos honestos sem condenar, abertos sem exigir; há liberdade para pensar e sentir de modo diferente. Em vez de julgar, buscamos compreender os pensamentos e sentimentos de nosso cônjuge, procurando maneiras de crescer juntos apesar das diferenças.

Não pense que é fácil, porque não é. Entretanto, não é impossível. Verdade seja dita, a maioria dos casais não consegue passar muito tempo conversando nesse nível. Porém, um número crescente de casais está descobrindo que, com a ajuda de Deus, podem comunicar-se em amor e aprofundar sua intimidade conjugal. O que se requer nesse nível é uma atitude de aceitação, visando criar um ambiente onde ambos se sintam seguros para compartilhar pensamentos e sentimentos com honestidade, sabendo que o outro está disposto a compreender, ainda que não concorde conosco.

Nesse ponto, passamos a acreditar que nosso cônjuge está verdadeiramente interessado em nosso bem-estar. Se pedirmos auxílio, tentará nos ajudar, mas sem exigir que concordemos com seus pensamentos e sentimentos.

Talvez alguns casais perguntem: "Será que é algo desejável compartilhar todos os nossos pensamentos e sentimentos?".

A resposta é não. Alguns anos atrás, a psicologia secular enfatizou essa abertura e honestidade, encorajando os cônjuges a compartilhar todo e qualquer pensamento ou sentimento com o objetivo de desenvolver maior intimidade. Essa linha de pensamento não prosperou, porém muitos casamentos foram destruídos por causa dela.

A verdade é que, de vez em quando, todos nós temos pensamentos e sentimentos malucos, irracionais. Qual marido nunca pensou em fugir e se perder no meio da multidão? Qual esposa nunca pensou em algo semelhante? Alguns desses pensamentos são tão desvairados e destrutivos que não merecem a dignidade de ser compartilhados. Durante esse período de encorajamento psicológico secular que mencionei, aconselhei um casal jovem a manter total honestidade um com o outro. Três meses depois, esse marido chegou em casa e disse à esposa: "Hoje eu estava almoçando num restaurante e vi uma garçonete que conheci na faculdade. Para ser honesto com você, tive o desejo de convidá-la para sair". Essa esposa ficou arrasada ao saber que o marido pensava tais coisas com apenas três meses de casamento e concluiu que não era possível ele ter esses pensamentos e, ao mesmo tempo, dizer que a amava. Apesar de insistir veementemente que foi apenas um pensamento momentâneo e que a moça não significava nada para ele, esse marido não conseguiu acalmar o temor da esposa. O casal separou-se alguns meses depois.

Esse tipo de pensamento deve ser compartilhado somente com Deus. Em 2Coríntios 10.5, Paulo nos diz o que fazer: "Levamos cativo todo pensamento rebelde e o ensinamos a obedecer a Cristo". A resposta cristã para tais pensamentos e sentimentos é compartilhá-los somente com Deus e procurar viver da melhor forma possível sob sua orientação. Dividir essas coisas com o cônjuge geralmente resulta em desastre. Além disso, alimentar no íntimo esse tipo de pensamentos e desejos também será desastroso para o casamento. É melhor seguir o princípio bíblico e levá-los cativos a Deus, submetendo-os à sua autoridade, abandonando-os se forem perversos e agradecendo a Deus porque não precisamos ser controlados por esses pensamentos e sentimentos.

* * *

Observar atentamente esses cinco níveis de comunicação nos permitirá melhorar a qualidade de nossa comunicação. À medida que lerem este livro, espero que subam a escada juntos e passem cada vez mais tempo na plataforma superior da conversa genuína, amorosa e verdadeira. Talvez não seja um progresso uniforme. Por vezes, a cada dois passos à frente damos um passo para trás. No entanto, à medida que conversarem mais, vocês experimentarão a comunicação em todos os níveis e reconhecerão a importância de cada nível. Quanto mais tempo passarem nos níveis superiores, maior será a experiência de intimidade.

Antes de falarmos sobre como adquirir as habilidades que conduzem a uma comunicação mais efetiva e uma maior intimidade, vejamos alguns pontos básicos. Por exemplo, a diferença entre casamento de *contrato* e casamento de *aliança*.

QUESTÕES PARA REFLETIR

1. Reveja os cinco níveis de comunicação. Discuta sobre os pontos positivos e negativos de cada nível.
2. Pensando em seu casamento, qual dos cinco níveis parece ser a forma básica na qual você e seu cônjuge se comunicam?

3. O que você mais teme quando pensa em uma comunicação mais profunda e honesta com seu cônjuge? Reflita sobre seus maiores medos.
4. Considerando os cinco níveis, você acha que o nível de comunicação de vocês progrediu ou regrediu desde que se casaram?
5. Se você respondeu que progrediu, houve algum incidente ou *insight* que levou vocês a níveis mais profundos de comunicação? Se houve, descreva.
6. Se você respondeu que regrediu, quais incidentes ou situações contribuíram para isso? (Lembre-se que até situações positivas podem produzir sentimentos negativos e de insegurança, que podem fazer as pessoas se fecharem.)

Aceitamos

Individualmente, descrevam quatro situações:

- Uma situação em que você se arrependeu de como respondeu ao seu cônjuge.
- Uma situação em que você achou que respondeu de forma respeitosa, mas a reação do seu cônjuge deixou você perplexo.
- Uma situação em que a resposta do seu cônjuge fez você se sentir amado e seguro.
- Uma situação em que a resposta do seu cônjuge fez você se sentir ferido e inseguro.

Não gaste muito tempo escrevendo; pode ser apenas uma palavra, como "aniversário", ou uma frase, como "arrumando a calha" ou "almoçando com a esposa do vizinho". Não descreva a situação usando palavras como "arrependimento", "me senti amado", ou qualquer outro indicador emocional. Dobre os papéis e coloque-os em uma caixa ou sacola. Revezem-se abrindo os papéis, um por um. Lembrem-se de que se trata de uma *conversa*, não de uma discussão ou competição. A pessoa que estiver relembrando a situação começará a conversa descrevendo sua lembrança e como se sentiu. Se os sentimentos foram negativos, responda honestamente se conseguiu superar isso. Se foram positivos, ou se aos poucos se tornaram positivos, explique o motivo. Dê a seu cônjuge um tempo para reagir sem interrupções. Pensem em como poderiam ter lidado de forma diferente com esses incidentes. Usem a oportunidade para pensar em uma "nova" reação. Para as situações positivas, reflitam no que aconteceu como forma de validarem um ao outro e extraiam da situação algumas "ferramentas" que podem ser usadas no futuro. Guardem esses papéis e coloque-os em algum lugar seguro como forma de lembrar que você e seu cônjuge "acertaram".

Quanto aos papéis com situações negativas, leve-os até um local onde eles possam ser queimados. Olhe para seu cônjuge e diga: "Eu amo você, e por isso o perdoo. Você me perdoa?". Após cada um receber o perdão, queime os pedaços de papel.

4
Casamento de contrato

Apesar de a Bíblia apresentar o conceito de aliança, geralmente não utilizamos essa ideia em nossas conversas e temos pouca compreensão sobre o assunto. Quando nos referimos ao casamento, quase sempre pensamos em termos de contrato, e não de aliança. Na verdade, os dois termos são bastante diferentes, e neste capítulo vamos estudar o casamento de contrato.

Como funciona o contrato

Nossa sociedade apoia-se na mentalidade do contrato, um conceito que compreendemos muito bem. Com frequência ouvimos: "Coloque isso por escrito", que em outras palavras significa: "Vamos assinar um contrato jurídico". Por meio desse instrumento, temos uma garantia maior de que a pessoa ou empresa cumprirá o que se propõe fazer.

Muitos cristãos levam essa ideia de contrato para o casamento. Assim, ocupam-se em elaborar contratos e forçar o outro a cumprir a parte dele. Infelizmente, esse tipo de casamento estimula ressentimentos, mágoa, raiva e, ao final, leva ao divórcio. Vamos analisar essa mentalidade de contrato com mais profundidade.

Basicamente, um contrato é um acordo entre duas ou mais pessoas especificando o que cada uma fará se a outra cumprir sua parte. Por exemplo, o banco concorda em me deixar utilizar um carro se eu pagar as prestações mensais do financiamento. Caso não cumpra minha parte no acordo, o banco tem o direito legal de reempossar o veículo. Dessa forma, nossa sociedade está apoiada no conceito de contrato. Utilizamos com regularidade esse instrumento para alugar, vender e contratar serviços.

Alguns desses contratos têm obrigações jurídicas; outros têm obrigações morais. Minha esposa e eu celebramos um contrato informal quando concordamos que lavarei a louça caso ela prepare o jantar. Nenhum tribunal jamais nos forçará a cumpri-lo; mas, sendo pessoas íntegras, possuímos senso de responsabilidade moral para cumprir nossa palavra. O valor de qualquer contrato informal depende unicamente do caráter dos envolvidos. Muitos relacionamentos romperam-se porque um dos parceiros não cumpriu sua parte no acordo. Se for um contrato jurídico, a parte lesada poderá processar a parte ofensora visando obter um acordo justo. Mas se for um contrato informal, isto é, não jurídico, seu descumprimento implicará discussões, acusações e, às vezes, violência verbal e física à medida que uma das partes procura forçar a outra a cumprir o acordo.

Em termos jurídicos, o casamento é um contrato com direitos e obrigações. Contudo, precisamos distinguir entre casamento de contrato e casamento de aliança. No casamento legal, se uma das partes descumprir o que prometeu, uma ação jurídica poderá forçá-la a cumprir sua palavra ou encerrar o casamento por meio de um acordo justo. Uma sociedade não pode existir sem leis que regulem as relações de matrimônio. Nesse sentido, o casamento é um contrato. Para o cristão, entretanto, o casamento é muito mais do que isso: é uma aliança.

Os contratos são importantes. A maioria dos casais celebra pactos informais o tempo todo: "Se você colocar as crianças para dormir, eu limparei a cozinha", "Se você limpar as janelas por fora, eu as limparei por dentro", "Se você passar o aspirador, eu cortarei a grama". Não há nada de errado em tais acordos. Na verdade, fazem parte da rotina de qualquer casal. Esses contratos informais nos ajudam a alcançar nossos objetivos, utilizando nossas habilidades e nossos interesses para benefício mútuo.

O problema surge quando passamos a encarar o casamento *somente* como um contrato. Quando isso acontece, nossa mentalidade torna-se totalmente secular e abandonamos os princípios bíblicos sobre o matrimônio. Para a Bíblia, o casamento é, em última análise, uma aliança, embora os contratos possam ser instrumentos importantes no processo de desenvolvimento dessa aliança.

Características do contrato

Há cinco características gerais sobre os contratos.

1. A maior parte dos contratos fixa um período de duração.

Quando decidimos financiar um veículo, assinamos um contrato que estipula certa quantidade de parcelas. O contrato de aluguel de um apartamento geralmente estipula um período mínimo de seis meses a um ano. No financiamento de uma casa, o período contratual em geral varia de dez a trinta anos. Quase todos os contratos jurídicos têm duração determinada e há multas a pagar caso sejam descumpridos por qualquer uma das partes. O contrato, na maioria das vezes, é celebrado de forma a beneficiar as partes envolvidas. Contudo, caso as circunstâncias mudem, pode-se descumpri-lo e sofrer as consequências estipuladas.

Embora a maioria das cerimônias de casamento cite um compromisso que durará "enquanto ambos vivermos" ou "até que a morte nos separe", muitos casais interpretam essas palavras de aliança num sentido jurídico, como se dissessem: "Veja bem, nosso compromisso vale somente enquanto este relacionamento for benéfico para ambos. Se em dois anos ou vinte anos este casamento deixar de ser vantajoso, então poderemos quebrar nosso acordo e sofrer as consequências". Essa mentalidade de contrato predispõe o casal a cogitar o divórcio quando o relacionamento entra em crise.

2. O contrato estipula cláusulas específicas.

Quando compramos um eletrodoméstico, a empresa que o produziu oferece um período de garantia. Essa garantia estipula que a empresa prestará assistência técnica ao aparelho durante certo período de tempo e conforme condições preestabelecidas. O termo de garantia normalmente cobre "peças e mão de obra" e especifica exceções. Quem se der ao trabalho de ler as letras minúsculas do contrato saberá exatamente o que a empresa se propõe ou não fazer.

A maioria dos contratos informais no casamento também estipula cláusulas específicas: "Querido, se você cuidar das crianças enquanto vou ao *shopping*, amanhã cuidarei delas enquanto você joga futebol". Esse casal não está estipulando regras globais para o relacionamento, mas apenas para um evento ou uma atividade específica. Os contratos informais podem ser uma maneira construtiva para lidar com os pormenores da vida familiar. Caso sejam celebrados em espírito de amor e carinho mútuo, podem efetivamente nos ajudar a estabelecer um relacionamento de aliança.

3. O contrato funciona na base do "Se..., então...".

Se você assinar um contrato de serviço por um ano e pagar as mensalidades, *então* lhe daremos um celular de graça, sem "taxas de *roaming*". Essa é a linguagem do contrato, uma ferramenta na qual negociamos o que estamos dispostos a pagar em troca de algo a receber. Embora não admitisse isso no início, devo confessar que me casei com essa mentalidade, há mais de quarenta anos. Minha intenção era fazer Karolyn feliz, contanto que ela me fizesse feliz também. Entretanto, ela não atendeu às minhas expectativas, nem eu às dela. Consequentemente, os primeiros anos de casamento foram marcados por brigas ferozes e dolorosas. Quando conversamos com outros casais sobre isso, descobrimos que não éramos os únicos com essa mentalidade. Por mais espirituais que afirmemos ser, nosso conceito de casamento é muito mais secular do que imaginamos.

4. O contrato surge pelo desejo de se obter algo.

Na maioria das vezes, a pessoa que tem a iniciativa de celebrar um contrato deseja alguma coisa. Esse desejo é a motivação para tentar fazer a outra pessoa assinar um contrato. O vendedor é alguém que deseja assinar contratos. Ele inicia a conversação com o desejo de "fechar uma venda" e colher os benefícios decorrentes. Ele "acredita no valor do produto" e que este "será muito útil" para nós. Porém, se não desejasse os benefícios econômicos do contrato, não seria vendedor. O mesmo princípio é verdadeiro para o casamento. Se eu iniciar uma conversação com minha esposa dizendo estar disposto a fazer algo por ela caso faça algo por mim, pode ter certeza que quero alguma coisa. "Querida, se eu cortar a grama hoje à tarde, você pode passar minha camisa azul para eu ir à festa à noite?" Em outras palavras, quero "fazer um negócio" para obter uma camisa azul passadinha para ir à festa.

5. *Às vezes o contrato é silencioso e implícito.*

Um marido me disse: "Nunca discutimos sobre isso, mas ambos sabemos qual é nosso acordo: se eu fizer aquilo que ela tanto quer, então ela fará minha vida mais alegre; mas se eu não fizer, ela pode tornar minha vida um inferno". Esse marido descreveu um contrato matrimonial, ainda que esse acordo nunca tenha sido verbalizado. Ele e a esposa firmaram um acordo sem conversação.

* * *

Embora o casamento seja um contrato jurídico que deve ser honrado, e os contratos informais que celebramos paralelamente nos auxiliem a utilizar nossas habilidades em benefício mútuo, o casamento cristão é muito mais do que isso. Esse "muito mais" deve ser encontrado na palavra *aliança*.

Questões para refletir

1. Dê exemplos de como um contrato, principalmente se for informal, pode ter um efeito positivo ou negativo em seu casamento.
2. Cite três coisas com as quais vocês não contavam na época em que disseram "enquanto ambos vivermos" ou "até que a morte nos separe".
3. Reveja as cinco características de um contrato e descreva alguns dos "acordos" que vocês fizeram como casal. Será que esses arranjos contemplam os dons e as habilidades de cada um? Esses contratos informais foram cumpridos? Por quanto tempo?

Aceitamos

Durante esta semana, suspendam um dos acordos informais que fizeram e assumam a responsabilidade por ele, entendendo que o "contrato" pode ser retomado a qualquer momento. Por exemplo, se seu cônjuge lida com as finanças (aposentadoria, seguros, boletos etc.), comprometa-se a sentar com ele e aprender como funciona, como ele chega a certas decisões. Se você é a pessoa que faz a maior parte do trabalho prático, como as compras, então seu cônjuge deve passar um tempo com você aprendendo como fazer essas coisas. Seja qual for a tarefa que estiver sendo transferida, seu cônjuge deve se responsabilizar por ela durante um período de tempo — um dia, uma semana, um mês, dependendo da tarefa. E não espere que seja feito exatamente do que jeito que você faz. Se tudo correr bem, muitos resultados positivos vão surgir, como por exemplo:

- Uma maior apreciação pela execução da tarefa e mais compreensão quando ela não é feita.
- Uma forma de seu cônjuge substituir você no caso de uma emergência.
- Uma forma menos exigente de lidar com os papéis e as responsabilidades da vida diária.

E quem sabe seu cônjuge não descobre que gosta da responsabilidade, ou que tem dons em uma área diferente?

5
Casamento de aliança

Por que *casamento de aliança*? Porque é o termo que expressa com maior clareza a singularidade do matrimônio cristão. *Aliança* é um termo bíblico, e o Senhor é um Deus de alianças.

O conceito bíblico de aliança

A primeira ocorrência da palavra *aliança* na Bíblia está em Gênesis 6.18. Deus diz a Noé que destruiria toda a vida na terra, por causa da perversidade do homem. E então Deus diz a Noé: "Com você, porém, firmarei minha aliança. Portanto, entre na arca com sua mulher, seus filhos e as mulheres deles". Deus informa que preservaria a espécie animal por meio da arca que Noé iria construir.

A iniciativa para celebrar a aliança partiu de Deus, e seu objetivo era beneficiar Noé. Este entrou em aliança com Deus, cumpriu sua parte no acordo (a construção da arca) e aceitou a graça de Deus, coisa que não poderia alcançar por si mesmo (salvar-se do dilúvio). A motivação de Deus não era arranjar alguém para lhe construir uma arca, pois ele não precisava disso. Quem precisava da arca era Noé, e sua disposição em construí-la demonstrou que aceitou a aliança proposta por Deus.

O Antigo Testamento nos mostra Deus fazendo alianças com Abraão (Gn 17.3-8) e Moisés (Êx 19.3-6), e confirmando sua aliança com Davi (2Sm 7.12-29). Os profetas quase sempre chamavam a atenção do povo de Israel para seu relacionamento de aliança com Deus (Jr 31; Ez 37; Os 2).

O Novo Testamento revela Jesus como o Messias, aquele que cumpriu a antiga aliança e instituiu uma nova aliança (Mt 26.28; Lc 22.20). Por sua vez, os escritores do Novo Testamento desenvolveram e utilizaram esse novo conceito de aliança (2Co 3.6; Gl 3.15; Hb 7.22; 8.6; 13.20).

Na Bíblia, além das alianças de Deus com seu povo, observamos as pessoas fazendo alianças entre si. Por exemplo, em 1Samuel 18.1-3, Jônatas faz aliança com Davi, e em Rute 1.16-17, Rute faz aliança com Noemi.

Portanto, não deveríamos nos surpreender ao descobrir que a Bíblia considera o casamento também uma aliança entre um homem e uma mulher. Quando o autor de Provérbios adverte seu filho para não se envolver com a mulher adúltera que "abandona o marido, o companheiro de sua juventude, e ignora a aliança que fez diante de Deus", deixa claro que o casamento é uma aliança sagrada (Pv 2.16-17). Muitas vezes Deus fala de seu relacionamento com Israel em termos de casamento de aliança. Por meio do profeta Ezequiel, descreve Israel como uma esposa adúltera a quem ama intensamente: "Fiz uma aliança com você, diz o Senhor Soberano, e você se tornou minha" (Ez 16.8). Por meio do profeta Malaquias, expressa seu desagrado com o divórcio e indica que "foi testemunha dos votos que você e sua esposa fizeram quando jovens. Mas você foi infiel, embora ela tenha continuado a ser sua companheira, a esposa à qual você fez seus votos de casamento" (Ml 2.14,16). O próprio Jesus percebia claramente o casamento como um relacionamento de aliança para toda a vida (Mt 19.4-9).

Características da aliança

Então, qual é o sentido da palavra *aliança*, tão integrada à estrutura bíblica? Uma aliança, assim como um contrato, é um acordo entre duas ou mais pessoas, porém difere bastante em sua natureza. Explicarei melhor por meio de cinco características de um relacionamento de aliança.

1. A aliança visa o benefício de outra pessoa.

Leia o relato da aliança entre Jônatas e Davi:

> A partir daquele dia, Saul manteve Davi consigo e não o deixou voltar para a casa de seu pai. Jônatas assumiu um compromisso solene com Davi, pois o amava como a si mesmo. Para selar essa aliança, Jônatas tirou seu manto e o entregou a Davi, junto com sua armadura, sua espada, seu arco e seu cinturão.
>
> 1Samuel 18.2-4

Observe que a iniciativa partiu de Jônatas, e seu primeiro ato foi de doação: entregou sua capa, armadura, espada, arco e cinto. A motivação de Jônatas foi seu amor por Davi, e não um desejo egoísta de manipulá-lo a fim de obter algo para si.

Observe a aliança de Rute com Noemi:

> Rute respondeu: "Não insista comigo para deixá-la e voltar. Aonde você for, irei; onde você viver, lá viverei. Seu povo será o meu povo, e seu Deus, o meu Deus. Onde você morrer, ali morrerei e serei sepultada. Que o Senhor me castigue severamente se eu permitir que qualquer coisa, a não ser a morte, nos separe!".
>
> Rute 1.16-17

Um pouco antes, nos versículos 11-13, Noemi dissera que não tinha nada para oferecer. Percebe-se, portanto, que o compromisso de Rute nasceu de um desejo genuíno pelo bem-estar de Noemi. Embora Davi e Noemi tenham se comprometido com a aliança da mesma maneira que Jônatas e Rute, não foram eles quem tomaram a iniciativa. Portanto, a aliança nasce do desejo de servir ao outro, e não de manipulá-lo visando obter algo em troca.

Esse aspecto do relacionamento de aliança é ilustrado com mais propriedade na aliança que Deus fez com Noé, conforme falamos anteriormente. Deus tomou a iniciativa de salvar Noé do juízo, incluindo sua família e muitos animais: "Noé era um homem justo, a única pessoa íntegra naquele tempo, e andava em comunhão com Deus" (Gn 6.9). Contudo, ele não fez essa aliança com a intenção de motivar Noé a amá-lo; antes, estava preocupado com o bem-estar de seu servo.

Depois do dilúvio, Deus fez outra aliança com Noé e seus descendentes:

> Confirmo a minha aliança com vocês. Nunca mais os seres vivos serão exterminados pelas águas; nunca mais a terra será destruída por um dilúvio. Então Deus disse: "Eu lhes dou um sinal da minha aliança com vocês e com todos os seres vivos, para todas as gerações futuras. Coloquei o arco-íris nas nuvens. Ele é o sinal da minha aliança com toda a terra".
>
> Gênesis 9.11-13

Noé não tinha nenhuma obrigação nessa aliança. Deus simplesmente declarou suas intenções para o futuro e estabeleceu um sinal no céu para selar essa aliança. Quando observamos um arco-íris, somos lembrados dessa antiga aliança.

Portanto, no casamento de aliança cada cônjuge está comprometido com o bem-estar do outro. Obviamente, se ambos guardam a aliança, ambos são beneficiados; no entanto, a atitude e a motivação não devem ser buscar autogratificação, mas entregar-se em benefício do outro.

Alguém dirá: "Sejamos honestos. Quantas pessoas se casam motivadas por esse desejo profundo de beneficiar o cônjuge?". Muito bem, *sejamos* honestos. Gostaria de afirmar que minha suprema motivação ao casar com minha esposa era fazê-la feliz. Mas tenho de admitir que a maioria das minhas intenções estava focalizada na felicidade que eu teria quando me casasse. Confesso que durante muitos anos meu casamento não foi uma relação de aliança. Meu comportamento inicial demonstrava uma clara mentalidade de contrato, pois sabia exatamente o que ela deveria fazer para me deixar feliz. Sendo assim, ocupei-me em induzi-la a seguir meus propósitos, e o resultado é que os primeiros anos de nosso casamento foram bastante frustrantes e sofridos. Não quero julgar os outros, mas suponho que o início do meu casamento não foi radicalmente diferente de muitos hoje em dia.

Mais importante que a atitude com a qual nos casamos é nossa atitude hoje. Nesse sentido, fico feliz em dizer que hoje me preocupo com o bem-estar de minha esposa. Empreguei muito tempo e esforço para entender as necessidades dela e buscar maneiras de satisfazê-las. Felizmente, ela tem a mesma atitude para comigo. Reconhecemos nossa imperfeição, mas também reconhecemos que essa atitude de buscar o interesse do outro gerou uma mudança radical na natureza de nosso relacionamento. Talvez seja por isso que estamos firmemente comprometidos com o conceito de casamento de aliança.

2. No relacionamento de aliança, as pessoas fazem promessas incondicionais.

A aliança de Deus com Noé e seus descendentes não estava

condicionada ao comportamento deles, o que não significa que a aliança de Deus não inclua responsabilidades. Na aliança original de Deus com Noé em Gênesis 6, Deus pediu que seu servo construísse uma arca em que ele, sua família e os animais pudessem se salvar. Em teoria, Noé não teria sido salvo se não tivesse construído a arca. Logo, uma aliança implica responsabilidade para os envolvidos, mas não está condicionada ao comportamento da outra pessoa. A atitude de Noé indicou aceitação da aliança com Deus.

O compromisso expresso nas palavras de Rute a Noemi não são declarações condicionais. Ela não disse: "Irei com você e verei como são as coisas por lá. Se tudo correr bem, ficarei. Senão, voltarei para minha casa". Nenhuma dessas condições fazia parte da aliança de Rute com Naomi. Ao contrário, ela fez com a sogra uma aliança incondicional.

À primeira vista, algumas alianças de Deus parecem condicionadas ao cumprimento de cláusulas. Por exemplo, em Êxodo 19.5-6, Deus diz: "Agora, se me obedecerem e cumprirem minha aliança, serão meu tesouro especial dentre todos os povos da terra, pois toda a terra me pertence. Serão meu reino de sacerdotes, minha nação santa".

Tem-se a impressão de que essa aliança de Deus estava condicionada à obediência do povo, mas não é o caso. Na realidade, Deus comprometeu-se a transformar Israel em uma nação santa, um reino de sacerdotes. Ele não cancelou a aliança quando o povo se recusou a obedecer a seus mandamentos. Contudo, o fato é que Israel não poderia desfrutar os benefícios dessa aliança divina caso não cooperasse com Deus. Não poderiam ser uma nação santa a menos que andassem em santidade com Deus e se dispusessem a ministrar às nações vizinhas. O Antigo Testamento registra que na maioria das vezes o povo não agiu dessa maneira para com Deus. No entanto, geração após geração, Deus continuou a buscar pessoas dispostas a se relacionar com ele e viver de acordo com sua aliança. Os remanescentes, tanto do Antigo quanto do Novo Testamento, foram aqueles que experimentaram os benefícios da aliança de Deus com Israel. Portanto, as promessas da aliança de Deus foram incondicionais. De qualquer modo, o fruto da aliança não poderia ser desfrutado a menos que Israel estivesse disposto a participar dessa aliança com Deus.

Permita-me ilustrar como funciona esse princípio numa relação conjugal. O marido chega à conclusão de que está dedicando pouco tempo à esposa, isto é, não está prestando atenção às preocupações, alegrias e lutas que ela enfrenta. A partir disso, decide fazer uma aliança para tornar-se um ouvinte mais ativo, a fim de conhecer as ideias e os sentimentos da esposa e, desse modo, procurar satisfazê-la. Caso faça um compromisso incondicional, ele a ouvirá sempre, independentemente do estado de humor da esposa, da maneira como ela fala ou do conteúdo da conversa. Seu compromisso será ouvir, não importa o que seja. Contudo, para que a esposa participe dessa aliança, é necessário conversar e compartilhar seus sentimentos e suas opiniões. Caso contrário, a intenção do marido em ouvi-la será frustrada; porém, não revogada. Isto é, ele não desistiu da aliança, mas ela, ao recusar-se a compartilhar, é quem está falhando em experimentar os benefícios da aliança que o marido lhe propôs.

A maioria das alianças de Deus para conosco requer nossa participação para que os benefícios sejam desfrutados. Porém, a aliança de Deus não está condicionada às nossas reações. Por exemplo, Deus comprometeu-se em perdoar nossos pecados, e essa é uma aliança incondicional. Mas, para experimentarmos o perdão que ele nos proporciona, precisamos reconhecer nossos pecados. Conforme nos diz o apóstolo João: "Mas, se confessamos nossos pecados, ele é fiel e justo para perdoar nossos pecados e nos purificar de toda injustiça" (1Jo 1.9). Portanto, a promessa de perdão da aliança de Deus não está condicionada à nossa confissão. Deus tomou todas as providências para lidar com nossos pecados e está plenamente disposto a nos perdoar a qualquer momento. Ele não desistirá de sua aliança, porém se quisermos, como indivíduos, ter os benefícios de suas promessas, precisamos confessar e crer em Cristo.

Dessa forma, o casamento de aliança é caracterizado por promessas incondicionais. Nos votos de casamento tradicionais, a aliança que fazemos um com o outro se baseia em declarações incondicionais. Por exemplo, em muitas cerimônias faz-se a pergunta: "Fulano, aceita que fulana seja sua esposa, para viverem juntos no santo estado do matrimônio? Você a amará, consolará, honrará e protegerá, na enfermidade e na saúde; e, renunciando a todas as outras, você se guardará somente para ela, enquanto ambos viverem?". Ao final o homem responde: "Sim, aceito". Então é a vez de a mulher exprimir uma declaração semelhante à do marido.

A linguagem do casamento de aliança difere bastante da do casamento de contrato. Infelizmente, após verbalizarem essas declarações, muitos casais passam a praticar o casamento de contrato, no qual a doação está condicionada ao comportamento positivo do cônjuge.

3. *Relacionamentos de aliança são firmados no amor inabalável.*

A expressão "amor inabalável" é a melhor tradução para a palavra hebraica *hesed* no Antigo Testamento e a grega *ágape* no Novo Testamento. As características do amor imutável encontram-se no âmago do casamento de aliança. Às vezes, a palavra *hesed* é traduzida como "aliança", mas na maioria das ocorrências é traduzida como "misericórdia". Por exemplo: "As misericórdias do Senhor são a causa de não sermos consumidos; porque as suas misericórdias não têm fim" (Lm 3.22-23, RC). O cristão encontra segurança no fato de que Deus é um Deus de amor e que seu amor não é instável. Não precisamos nos preocupar em imaginar qual será a atitude de Deus para conosco no futuro, pois certamente será a mesma de hoje. Seu amor nunca cessa.

No Novo Testamento, esse amor é descrito do seguinte modo:

> O amor é paciente e bondoso. O amor não é ciumento, nem presunçoso. Não é orgulhoso, nem grosseiro. Não exige que as coisas sejam à sua maneira. Não é irritável, nem rancoroso. Não se alegra com a injustiça, mas sim com a verdade. O amor nunca desiste, nunca perde a fé, sempre tem esperança e sempre se mantém firme.
>
> 1Coríntios 13.4-8

Contratos são feitos com quase todas as pessoas, até mesmo com vendedores desconhecidos. Porém, alianças são feitas somente com aqueles a quem amamos. Considere novamente a aliança de Jônatas com Davi:

> Depois que Davi terminou de falar com Saul, formou-se de imediato um forte laço de amizade entre ele e Jônatas, filho do rei, por causa do amor que Jônatas tinha por Davi. [...] Jônatas assumiu um compromisso solene com Davi, pois o amava como a si mesmo.
>
> 1Samuel 18.1,3

Jônatas não propôs aliança com Davi visando estabelecer um relacionamento; pelo contrário, a aliança surgiu devido a um relacionamento amoroso já estabelecido.

A aliança de Deus com Noé reflete seu amor por Noé, bem como a reação de Noé a esse amor: "Noé era um homem justo, a única pessoa íntegra naquele tempo, e andava em comunhão com Deus" (Gn 6.9). Deus não tomou uma decisão arbitrária ao celebrar uma aliança com Noé; antes, baseou-se no relacionamento amoroso que existia entre eles. Na cerimônia de casamento diante do altar, a aliança não tem o objetivo de prender o cônjuge numa armadilha. Estamos ali justamente porque desfrutamos um relacionamento amoroso com o cônjuge. A aliança matrimonial que pronunciamos diante de Deus e das testemunhas tem origem em nosso amor mútuo.

O amor inabalável de Deus nos incentiva a fazer aliança com ele. Sabemos que Deus se interessa por nosso bem-estar e, portanto, podemos louvá-lo e servi-lo com confiança. No casamento de aliança ocorre praticamente a mesma coisa: casamos porque sabemos que amamos e somos amados. Desse modo, podemos nos dedicar um ao outro para o resto da vida. A partir disso, nossa responsabilidade é manter essa atitude amorosa no relacionamento.

O amor inabalável não é, evidentemente, amor romântico, mas um amor muito mais profundo. Embora possua elementos emocionais, é, em essência, uma atitude, uma disposição da mente com relação ao cônjuge: é decidir ter consideração e respeito pelo outro, focalizar suas características positivas e exprimir apreço por seus atributos; é realizar coisas pelo outro que expressem atitudes construtivas.

O amor inabalável recusa-se a apontar os aspectos negativos do cônjuge. Todos nós descobrimos no outro coisas que consideramos desagradáveis. Não devemos negar que existem; pelo contrário, precisamos falar sobre isso, especialmente se houver possibilidade de mudança. Mesmo assim, o amor inabalável não enfatiza esses aspectos negativos. A violação desse princípio destruiu muitos casamentos, uma vez que poucas pessoas conseguem sobreviver a constantes tormentos e condenações por parte do cônjuge. Esse tipo de atitude não promove mudanças, mas o retrocesso. O cônjuge terá mais oportunidades para continuar a crescer se nos concentrarmos em seus aspectos positivos e o encorajarmos verbalmente.

Mas como tudo isso afeta nossas emoções? Quando marido ou esposa decidem expressar amor inabalável um pelo outro, começam a surgir sentimentos bons. Quanto mais afirmarem e expressarem apreço pelas características positivas um do outro, mais forte se tornará o sentimento entre vocês. No entanto, quanto mais focalizarem as falhas e fraquezas, pior se tornará o sentimento de um pelo outro. Nossos sentimentos são bastante influenciados por aquilo que pensamos e falamos. Se disser para si mesmo que seu cônjuge é uma pessoa horrível, e fizer listas mentais de todos os aspectos negativos dele, provavelmente você acabará deprimido. Portanto, decida concentrar-se nos aspectos positivos e diga para si mesmo (e para seu cônjuge) o quanto ele é maravilhoso. A partir disso, desfrute a companhia de seu cônjuge ao máximo e perceberá sentimentos positivos emergindo em seu íntimo.

O amor inabalável é uma escolha. É por isso que Paulo ordenou aos maridos que amem suas esposas (Ef 5.25) e às esposas que aprendam a amar seus maridos (Tt 2.4). Está ao nosso alcance realizar coisas que podem ser ordenadas, ensinadas e aprendidas. Nós decidimos qual atitude teremos em relação ao cônjuge. E a atitude do amor inabalável é o elemento mais importante no casamento de aliança. Pensar no cônjuge de forma positiva afetará profundamente a natureza da comunicação conjugal.

Para quem cresceu num lar sem muita consideração por parte dos pais, desenvolver amor inabalável se torna um fator extremamente importante para o relacionamento conjugal. Poucas coisas são mais edificantes para o cônjuge do que o amor de seu parceiro. Perceber que somos amados por nosso cônjuge, e que sua atitude em relação a nós é positiva, possibilita construirmos nossa autoestima e desenvolver nosso potencial para Deus e para fazer o bem no mundo.

4. Relacionamentos de aliança consideram o compromisso como permanente.

Leia novamente as palavras da aliança de Rute com Noemi:

> Rute respondeu: "Não insista comigo para deixá-la e voltar. Aonde você for, irei; onde você viver, lá viverei. Seu povo será o meu povo, e seu Deus, o meu Deus. Onde você morrer, ali morrerei e serei sepultada. Que o SENHOR me castigue severamente se eu permitir que qualquer coisa, a não ser a morte, nos separe!".
>
> Rute 1.16-17

É impossível ler essa passagem sem perceber um sentido de compromisso profundo. Essas palavras, de tão belas, geralmente são proferidas em cerimônias de casamento.

Agora, considere as palavras da aliança de Deus para com Noé:

> Então Deus disse: "Eu lhes dou um sinal da minha aliança com vocês e com todos os seres vivos, para todas as gerações futuras. [...] Nunca mais as águas de um dilúvio destruirão toda a vida.

Ao olhar para o arco-íris nas nuvens, eu me lembrarei da aliança eterna entre Deus e todos os seres vivos da terra.

Gênesis 9.12,15-16

Sempre que vemos um arco-íris, somos lembrados de que as alianças de Deus são permanentes.

Há ainda a aliança de Deus com Abraão:

Darei a você e a seus descendentes toda a terra de Canaã, onde hoje você vive como estrangeiro. Será propriedade deles para sempre, e eu serei o seu Deus.

Gênesis 17.8

Seja qual for sua opinião sobre o Oriente Médio, a maioria admite que o restabelecimento da nação de Israel em 1948 como território dos descendentes de Abraão foi um fato extraordinário. As alianças de Deus são permanentes.

A continuidade das alianças humanas também é ilustrada no relacionamento de Jônatas com Davi. Essa aliança foi feita quando Davi ainda era jovem e muito antes de se tornar rei de Israel. Anos mais tarde, depois da morte de Jônatas, Davi pergunta: "Resta alguém da família de Saul, a quem eu possa mostrar bondade por causa de Jônatas?" (2Sm 9.1). Descobriu-se que Jônatas tinha um filho com necessidades especiais chamado Mefibosete, então Davi o trouxe para o palácio e cuidou dele até o fim. A aliança de Davi com Jônatas era permanente, transcendendo a morte do amigo. Davi quis demonstrar bondade para com Mefibosete por causa do relacionamento de aliança com Jônatas.

Há uma canção *country* que questiona: "Que fim levou o 'para sempre'?". Houve uma época em que os jovens iam à guerra e quando retornavam, anos depois, seus pais ainda estavam casados. Hoje eles passam um semestre na faculdade e quando voltam para casa encontram os pais divorciados após trinta anos de casamento. Parece que o pensamento dominante em nossa cultura contemporânea é: "Se há contratos temporários de aluguel e *leasing* de carros, por que não aplicar o mesmo princípio ao casamento?".

As declarações "até que a morte nos separe" ou "enquanto vivermos", comuns nas cerimônias de casamento, são declarações de aliança. Incontestavelmente, a aliança foi planejada para ser permanente, e não um contrato válido apenas pelos próximos cinco anos ou até encontrarmos uma "justificativa" para encerrar o casamento. O matrimônio cristão é um compromisso definitivo.

Talvez alguns questionem: "Mas o cristão é obrigado a permanecer num casamento ruim simplesmente porque a Bíblia ensina que o relacionamento monogâmico ideal deve ser permanente?". É mais fácil responder a essa questão do alto de uma torre de marfim do que enfrentando os tormentos cotidianos. Sem dúvida, o ideal bíblico propõe que homem e mulher se casem para o resto da vida. Como cristãos, não devemos rebaixar esse ideal. Quer dizer, então, que uma esposa é obrigada a permanecer num casamento onde, todo final de semana, sofre violência física de um marido embriagado? Será que ela deve honrar o casamento "até que a morte os separe"? A resposta a essas questões se encontra na quinta característica da aliança.

5. Relacionamentos de aliança precisam de confrontação e perdão.

Examine as alianças de Deus com seu povo no Antigo Testamento, começando com Noé (Gn 9), depois Abraão (Gn 17), Moisés (Êx 19), Josué (Js 24), Davi (2Sm 7) e outros, e perceberá que o povo de Deus, de modo geral, não viveu à altura de seu compromisso de aliança com Deus. Até mesmo uma leitura superficial do Antigo Testamento causa espanto ao vermos Israel caindo constantemente. Deus abandonou seu povo por causa disso? Sem dúvida, a resposta é não. Deus ignorou seus pecados? Outra vez, a resposta é não. Deus sempre confrontou os pecados de Israel, porém permaneceu disposto a perdoá-los.

Essas duas atitudes, confrontação e perdão, são essenciais num casamento de aliança. Confrontar significa considerar o indivíduo como responsável por suas ações. Perdoar significa estar disposto a suspender a punição e prosseguir num relacionamento cada vez mais amoroso.

Esse princípio está resumido em Salmos 89.30-37, que fala da aliança de Deus com Davi a fim de estabelecer o reino divino para sempre. Deus assevera:

> Se, porém, seus descendentes abandonarem minha lei
>   e não seguirem meus estatutos,
> se não obedecerem aos meus decretos
>   e não guardarem meus mandamentos,
> castigarei seu pecado com a vara
>   e sua desobediência, com açoites.
> Contudo, não desistirei de amá-lo,
>   nem deixarei de lhe ser fiel.
> Não quebrarei minha aliança,
>   não voltarei atrás em minhas palavras.
> Fiz um juramento a Davi
>   e, em minha santidade, não minto.
> Sua dinastia continuará para sempre,
>   seu reino permanecerá como o sol.
> Será duradouro como a lua,
>   minha fiel testemunha no céu.
>
> Salmos 89.30-37

A atitude de Deus com relação ao pecado humano sempre foi de confrontação e disposição para perdoar. Nossos pecados não ensejam motivo para o Senhor revogar sua aliança; antes, Deus toma providências para lidar com nossas faltas. No entanto, isso não significa que Deus trate nossos pecados com leviandade. A cruz de Cristo é a declaração eterna de Deus sobre o custo do perdão. Mesmo assim, seria impossível experimentarmos um relacionamento de aliança com Deus caso ele mesmo não tivesse tomado providências para lidar com nossos pecados. Nos relacionamentos humanos acontece a mesma coisa. Ninguém é perfeito. Por vezes, não conseguiremos honrar nossa aliança conjugal e causaremos decepção um ao outro. Essas falhas não precisam destruir nossa aliança, porém requerem confrontação e perdão.

Ignorar as faltas do cônjuge não conduz ao crescimento conjugal. A filosofia do "deixa pra lá" não é a linguagem do casamento de aliança. O cônjuge comprometido com um casamento de aliança afirma: "Amo você demais para ficar calado quando o vejo desrespeitando nossa aliança. Sua atitude me machucou muito, mas estou disposto a perdoá-lo. Por favor, vamos renovar nossa aliança?".

Essa renovação da aliança é percebida no relacionamento de Deus com seu povo. Alguns exemplos são Josué 1.16-18 e 24.14-28. Para o cristão contemporâneo, esse mesmo perdão é oferecido em 1João 1.9: "Mas, se confessamos nossos pecados, ele é fiel e justo para perdoar nossos pecados e nos purificar de toda injustiça". Observe que, embora Deus ofereça perdão, este não é vivenciado até que confessemos nossos pecados.

De igual modo, num casamento de aliança cada cônjuge deve estar disposto a perdoar, porém esse perdão não pode ser vivido, com a consequente restauração do relacionamento, a menos que estejamos dispostos a nos responsabilizar por nossos atos e reconhecer nossas fraquezas. O casamento de aliança se caracteriza pelo compromisso em viver responsavelmente e pela disposição em perdoar as faltas do cônjuge.

Alguns consideram a confrontação algo difícil. Ofensas passadas os motivaram a recuar em vez de confrontar. Precisamos entender que *confrontar* não é uma palavra ruim, nem precisa ser feito de forma rude ou ofensiva. Confrontar é simplesmente demonstrar uma atitude amorosa visando obter intimidade conjugal. Quando compartilhamos nossos sentimentos de ofensas e mágoas, concedemos ao cônjuge oportunidade para explicar seus atos e nos ajudar a entender por que suas ações não constituíram ofensa, ou para que se dê conta de suas atitudes e seus comportamentos maldosos e peça perdão.

Haverá faltas em qualquer casamento. Embora celebremos uma aliança séria, por vezes não conseguiremos cumprir nossas promessas. Um bom casamento não se abala por causa de algumas faltas, mas será destruído caso não houver disposição para lidar com elas e renovar a aliança. Assim como Jacó, precisamos voltar para Betel e renovar nossa aliança com Deus (Gn 35.1-15). Precisamos renovar nossa aliança conjugal de tempos em tempos.

Disposição para perdoar é tão importante quanto confrontar. No entanto, alguns terão dificuldades com isso, pois são pessoas duras consigo mesmas e, consequentemente, com os outros. Essas pessoas possuem padrões pessoais muito altos e geralmente tendem a ser perfeccionistas. Por exigirem muito de si mesmas, exigem muito dos outros. Elas precisam compreender que o perdão é parte do relacionamento de aliança matrimonial e também que o perdão não é um sentimento, mas uma promessa de não mais considerarmos a pessoa culpada daquela falta. Você confessa e a outra pessoa revoga a punição, passando a tratá-lo como se você não tivesse cometido aquela falta. Esse é o tipo de perdão que Deus nos concede quando aceitamos o sacrifício de Cristo por nossos pecados, e é o tipo de perdão que podemos oferecer aos outros porque também fomos perdoados.

***

Assim como a aliança de Deus com seu povo foi renovada e expandida para indivíduos diversos em gerações diferentes através do Antigo e do Novo Testamento, do mesmo modo nossa aliança conjugal precisa ser renovada e expandida com o passar do tempo. Quais compromissos você assumiu diante de seu cônjuge na cerimônia de casamento? Talvez vocês precisem celebrar um novo compromisso de aliança. Talvez seja necessário recapitularem seus votos de casamento. Talvez perceba que vem tratando seu casamento mais como um contrato do que uma aliança. Contratos podem ser elementos saudáveis para o matrimônio, mas, sozinhos, não produzem um casamento de aliança. A intimidade e a satisfação que Deus planejou para o casamento só podem ser vividas se houver um compromisso de aliança.

Se tudo isso lhe parece "impossível" ou "fora da realidade" em nosso mundo moderno, passe rapidamente para o capítulo 6.

Questões para refletir

1. Quais são as diferenças entre *aliança* e *contrato*? Quais são as semelhanças?

2. Reveja alguns dos exemplos bíblicos de aliança. Descreva como alguns deles estão alinhados com as cinco características de uma aliança.
3. Como fazemos a transição dos contratos informais para as alianças incondicionais em nosso casamento? Será que todos os nossos contratos informais deveriam ser descartados? Por qual motivo?
4. Quais são algumas das possíveis formas de estabelecer um amor inabalável em seu casamento?
5. Quais compromissos de aliança vocês fizeram quando se casaram? Quais compromissos de aliança fizeram desde que se casaram? Algum deles precisa ser renovado ou expandido?

Aceitamos

Parafraseando Lamentações 3.22-23, substitua os nomes e pronomes de Deus pela palavra "nosso". Encontre uma forma criativa de ilustrar essas palavras: um desenho, uma escultura, uma pintura, um jogral, um bolo etc., e ofereça ao seu cônjuge como presente:

> Nosso amor não tem fim!
> Nossas misericórdias são inesgotáveis.
> Grande é a nossa fidelidade;
> nossas misericórdias se renovam cada manhã.

Escreva a referência de Lamentações 3.22-23 em um papel e considere gravá-la em um chaveiro ou bracelete que possa ser carregado no bolso ou na carteira. Que esse adereço sirva como lembrança da fidelidade de vocês enquanto casal, e da fidelidade de Deus para com vocês.

6
Casamento de aliança: sonho ou realidade?

O casamento de aliança:

- Inicia-se visando o benefício do cônjuge.
- Exige compromisso incondicional.
- Baseia-se no amor imutável.
- É um compromisso permanente.
- Demanda confrontação e perdão.

Caso tenha lido os dois últimos capítulos, já ficou evidente que o casamento de aliança não é o típico matrimônio celebrado na cultura ocidental. A maioria dos casais, inclusive cristãos, possui um relacionamento de contrato. Essa é uma das razões para o aumento do índice de divórcios entre cristãos na última década. Devemos concluir, a partir disso, que o ideal bíblico para o casamento de aliança está ultrapassado, isto é, está além da compreensão da humanidade moderna? Será apenas um sonho que existe em nossa memória, cujo resultado, se aplicado tal conceito no mundo contemporâneo, produz apenas sentimentos de culpa?

Encontrar a resposta

Confesso que durante certo tempo considerei o casamento de aliança algo impossível de alcançar. Frustrado, enxergava apenas duas opções: permanecer casado e infeliz para o resto da vida ou divorciar-me, esperando que Deus me perdoasse por isso, e orar para que, de alguma maneira, encontrasse um casamento feliz com outra mulher. Desesperado, exclamei a Deus: "Não sei mais o que fazer! Fiz tudo o que sabia para esse casamento funcionar". Naquela ocasião eu cursava o seminário, preparando-me para ser pastor, e argumentei com o Senhor: "Isso não vai dar certo. Não vou conseguir ministrar às pessoas e pregar tua Palavra nessa condição miserável que enfrento em casa".

Foi então que percebi claramente um pensamento (não audível, mas tão certo quanto) penetrar a frustração de minha mente: "Leia sobre a vida de Jesus". "Mas Senhor, sou um seminarista. Já li sobre a vida de Jesus várias vezes", respondi. O pensamento persistiu: "Leia sobre a vida de Jesus". "Pois bem, vou ler sobre a vida de Jesus", respondi novamente, e adicionei: "Caso tenha passado algo despercebido, por favor, me mostre".

Naquela ocasião eu havia completado vinte e sete horas de grego no seminário, então passei a ler Mateus, Marcos, Lucas e João diretamente no original. O que descobri nessa leitura poderia ter descoberto em qualquer idioma. Não sei como não percebi isso antes.

Eu já sabia que Jesus havia sido o maior líder que o mundo conhecera. Muitos não cristãos concordariam que nenhum outro homem teve tamanha influência no curso da história da humanidade como Jesus de Nazaré. Entretanto, estudando o estilo de liderança de Jesus, percebi que ele não fazia exigências egoístas de seus seguidores. Em vez disso, vejo-o pegando uma bacia com água e uma toalha para lavar os pés de seus discípulos. E para não deixar dúvidas de suas intenções, quando terminou essa tarefa humilhante, Jesus levantou-se e explicou o significado:

> Vocês entendem o que fiz? Vocês me chamam "Mestre" e "Senhor", e têm razão, porque eu sou. E uma vez que eu, seu Senhor e Mestre, lavei seus pés, vocês devem lavar os pés uns dos outros. Eu lhes dei um exemplo a ser seguido. Façam como eu fiz a vocês. Eu lhes digo a verdade: o escravo não é maior que o seu senhor, nem o mensageiro é mais importante que aquele que o envia. Agora que vocês sabem estas coisas, serão felizes se as praticarem.
>
> João 13.12-17

Não sei como você analisa essa passagem, mas quando li esses versículos achei repulsiva a ideia de lavar os pés dos outros. Para dizer a verdade, não consegui pensar em nada pior. Já imaginou, lavar os pés dos outros? Porém, quando finalmente compreendi que o ensinamento de Jesus se refere à atitude de servo, percebi que considerava meu casamento de maneira totalmente oposta. Fiz exigências à minha esposa, esperando que ela me fizesse feliz. Eu era um homem secular posando de pastor. Desesperado, clamei a Deus: "Ah, Senhor, eu quero ser como Jesus!". Essa oração foi meu primeiro passo em direção a um casamento de aliança.

Aplicar o princípio de serviço

Vou lhe contar as questões que me ajudaram a colocar em prática o princípio do serviço em meu casamento. Meu casamento começou a mudar quando me dispus a fazer estas perguntas: Como posso ajudar? Há algo que eu possa fazer para tornar sua vida mais fácil? Como posso me tornar um marido melhor?

Descobri que minha esposa estava bastante disposta a fornecer as respostas. Ah, sim, sem dúvida ela possuía muitas ideias de como eu poderia ser um marido melhor. Quando deixei que ela me ensinasse a servi-la, nosso casamento começou a mudar. Não imediatamente, pois ainda havia muitas mágoas para resolver. Mas houve mudanças.

Cerca de dois meses depois dessa nova abordagem, cheguei em casa para o jantar e ela havia preparado minha refeição favorita, sem eu pedir (havia desistido disso porque ela sempre interpretava meus pedidos como exigências). E ali estava, na minha frente, um prato de carne assada com batata, cenoura e cebola. Fiquei pasmo, não apenas com o aroma, mas também pela percepção de que ela fez algo para me agradar, sem eu pedir. Assim, continuei perguntando e seguindo suas sugestões, progredindo no aprendizado da arte de servir. Pouco a pouco ela começou a fazer coisas que eu havia lhe pedido no início do casamento.

Cerca de quatro meses depois, ocorreu-me a primeira impressão de que eu poderia voltar a ter sentimentos e afetos que não sentia havia muito tempo. Até então, eu estava magoado, irritado e amargurado; com raiva de Deus, de mim mesmo e de minha esposa. Estava com raiva de Deus porque lhe havia pedido que não permitisse meu casamento se ela não fosse a pessoa ideal para mim. Mas ele permitiu. Portanto, eu achava que toda essa confusão era culpa dele. Estava com raiva de mim mesmo porque a seguinte ideia me atormentava: "Com todo o meu nível intelectual, como fiz a estupidez de me casar com uma mulher com quem não consigo me relacionar? Como pude fazer isso?". E, por fim, estava com raiva de minha esposa, pois no início eu pensava: "Veja bem, eu sei como implementar um bom casamento. Preste atenção em mim e a coisa vai funcionar. Mas você não me ouviu". Em outras palavras, eu vivia com raiva antes de ler sobre a vida de Jesus. Porém, após quatro meses observando o estilo de vida dele, voltei a ter sentimentos amorosos por minha esposa. Seis meses depois, pensei: "Gostaria de tocá-la novamente, se ela me deixar". Não planejava perguntar isso a ela; era apenas um pensamento.

A partir desse momento, percebi que nosso casamento sobreviveria. Há anos temos caminhado por essa estrada e aprendi a prestar atenção em minha esposa, descobrir suas necessidades e utilizar o melhor de minhas habilidades para satisfazê-las. Ela, por sua vez, dedicou sua vida a me amar e me conhecer. O que aconteceu conosco é quase um milagre. Estou convencido de que é exatamente esse tipo de casamento que Deus planejou para seus filhos.

Num casamento de aliança, marido e esposa são vencedores. Nos primeiros anos de nosso casamento, contudo, agimos como perdedores: brigávamos um com o outro e saíamos feridos; depois de recuperadas as forças, retornávamos para outra batalha. Quando me tornei um verdadeiro seguidor de Jesus e ela correspondeu, nosso casamento tornou-se uma sociedade de auxílio mútuo. Acredito genuinamente que minha esposa realizou muitas coisas na vida porque eu estava ao seu lado, apoiando e encorajando. Sei disso porque eu mesmo nunca teria conseguido realizar certas coisas sem o apoio e encorajamento dela. Creio que o plano de Deus para o casamento é justamente este: duas pessoas se doando mutuamente, compreendendo que o maior propósito da vida não é apenas ter um bom casamento, mas também que, ao se casarem, Deus anseia que um seja usado para incentivar o outro de forma que, juntos, vocês possam fazer mais pelo reino do que fariam se estivessem sozinhos.

Será que estou sonhando? Então, deixe-me sonhar. Lembro-me da história do pregador de rua que proclamava o amor de Deus e chamava as pessoas ao arrependimento. Certo dia alguém passou por ele e disse: "Cala a boca, velhote. Você é apenas um sonhador". Alguns instantes depois, a filha de 12 anos desse pregador cutucou o ombro do sujeito e lhe disse: "Não sei quem é o senhor, mas aquele ali que está pregando é meu pai. Ele era alcoólatra e vendia minhas roupas para comprar bebida. Mas, quando Deus o salvou, ele encontrou um emprego, comprou roupas, sapatos e livros para mim e nunca mais colocou uma gota de álcool na boca. Desde então, vem falando às pessoas sobre o que Deus fez na vida dele. Por isso, se meu pai está sonhando, não o acorde. Por favor, não o acorde".

Sim, eu tenho um sonho, mas acredito que esse sonho pode se tornar realidade. Imagino milhares de maridos cristãos lendo sobre a vida de Jesus e descobrindo a chave para ter um casamento de aliança. Creio que essa é a vontade de Deus.

Uma aliança pessoal com Deus

Tudo começa quando nos concentramos em nosso relacionamento de aliança com Deus. Zacarias, pai de João Batista, estava bem ciente da aliança que Deus fizera com Israel, quando disse:

> Ele nos enviou poderosa salvação
> da linhagem real de seu servo Davi [...].
> Ele foi misericordioso com nossos antepassados
> ao lembrar-se de sua santa aliança,
> o juramento solene
> que fez com nosso antepassado Abraão.
> Prometeu livrar-nos de nossos inimigos

> para o servirmos sem medo,
> em santidade e justiça,
> enquanto vivermos.
>
> Lucas 1.69,72-75

A aliança do Antigo Testamento incluía o sacrifício de animais e a aspersão de sangue como expiação pelos pecados do povo. Muitos ofereciam esses sacrifícios como evidência de que participavam de um relacionamento de aliança com Deus. Quando Jesus instituiu a Ceia, disse: "Este é o meu sangue, que confirma a aliança. Ele é derramado como sacrifício por muitos" (Mc 14.24). Portanto, seu sacrifício na cruz foi a oferta definitiva pelo pecado, e agora todos que estejam dispostos a aceitar um relacionamento de aliança com Deus podem fazê-lo mediante aceitação do sacrifício de Cristo. Quando aceitamos Jesus como nosso Salvador, estamos dizendo: "Sim, aceito as promessas de perdão e vida eterna da aliança com Deus". A Ceia do Senhor é o símbolo de nossa confiança em sua morte para nossa salvação.

O batismo é outro símbolo de nossa salvação, porém não há salvação mediante símbolos. Nem mesmo nossa fé nos torna merecedores de Deus. Antes, a fé é uma atitude em relação à aliança da graça de Deus, a qual nos garante um relacionamento eterno com ele. Participamos dessa aliança com Deus quando depositamos nossa fé em Jesus Cristo. A essência de todas as alianças de Deus através da história pode ser resumida na seguinte declaração: "Serei o seu Deus, e vocês serão o meu povo". Paulo fala sobre essa aliança quando escreve: "Por meio de Cristo Jesus, os gentios foram abençoados com a mesma bênção de Abraão, para que recebêssemos, pela fé, o Espírito prometido" (Gl 3.14). Quando aceitamos a Cristo como salvador pessoal, o Espírito Santo vem habitar conosco e passamos a experimentar um relacionamento crescente com Deus, que se estenderá por toda a eternidade. Tudo isso porque Deus fez uma aliança conosco. Esse é o primeiro passo para se tornar um seguidor de Jesus.

Observando as características do casamento de aliança, de fato parece algo "de outro mundo". Essa percepção sobrenatural ocorre porque fomos condicionados a uma mentalidade egocêntrica, em que dedicar atenção total à outra pessoa é algo fora do normal. De minha parte, admito que sou uma pessoa egocêntrica e que sem a obra de Cristo e o ministério do Espírito Santo em minha vida não conseguiria superar esse obstáculo. Em Cristo, porém, recebi uma nova natureza, e isso me possibilita buscar os interesses dos outros. Na verdade, isso é o que Paulo propõe aos maridos em Efésios 5.25, desafiando-os não apenas a amar suas esposas, mas também a imitar a Cristo, que "amou a igreja e entregou-se por ela". Portanto, devemos seguir o exemplo de Jesus, claramente o modelo que Deus deseja que imitemos. Como cristãos, precisamos reconhecer que em Cristo possuímos a capacidade de transcender nossos impulsos egocêntricos e viver para nos doarmos ao nosso cônjuge.

Será que o amor inabalável é uma impossibilidade no cotidiano do casamento? Sem a ajuda de Deus, creio que sim. Todavia, como cristãos, contamos com o auxílio do Senhor. Paulo lembra-nos que Deus "nos deu o Espírito Santo para nos encher o coração com seu amor" (Rm 5.5). O amor inabalável de Deus está disponível para todos os cristãos. Nesse ponto, levamos vantagem em relação aos não cristãos, porque estes só podem contar com aquilo que conseguirem extrair de si mesmos. O cristão, pelo contrário, pode receber o amor de Deus e repartir esse amor com os outros. Podemos ser canais do amor de Deus a nosso cônjuge.

Ocasionalmente encontro pessoas que se concentraram tanto nos aspectos negativos do cônjuge que não conseguem mais enxergar nenhuma característica positiva nele. Perguntam: "Como posso respeitar alguém em quem não vejo nenhuma característica positiva?". Encontramos essa resposta no exemplo do próprio Deus: "Mas Deus nos prova seu grande amor ao enviar Cristo para morrer por nós quando ainda éramos pecadores" (Rm 5.8). Deus não esperou que nos tornássemos bons para nos amar. Apesar de as Escrituras afirmarem que Deus não tolera o pecado — na verdade, ele odeia o pecado — ele nos amou enquanto ainda éramos pecadores.

"Ah, mas ele é Deus, e eu sou apenas um reles mortal", dirão alguns. Nesse caso, retorno à verdade registrada em Romanos 5.5: "Ele nos deu o Espírito Santo para nos encher o coração com seu amor". Essa habilidade de Deus para amar os pecadores está disponível a nós. Podemos abrir o coração para Deus e dizer: "Senhor, tu conheces meu cônjuge e sabes que tenho muita dificuldade para enxergar nele alguma característica positiva. No entanto, sei que tu, Senhor, me amas. Quero ser um canal de teu amor para meu cônjuge. Usa minhas mãos, minhas palavras e meu corpo para expressar teu amor". Contamos com o auxílio de Deus para amar tudo aquilo que nos parece desagradável.

"Mas como posso continuar perdoando meu cônjuge se ele continua cometendo os mesmos erros o tempo todo?" Pedro fez essa mesma pergunta a Jesus: "Senhor, quantas vezes devo perdoar alguém que peca contra mim? Sete vezes?". Jesus respondeu: "Não sete vezes, mas setenta vezes sete" (Mt 18.21-22). Evidentemente, podemos questionar a sinceridade da confissão de alguém que continua insistindo no erro, porém Jesus nos adverte de que não temos capacidade para julgar a sinceridade do coração alheio. Ele ensina que, se alguém confessar sua falha, nosso dever é perdoar. A melhor forma de lidar com essas ofensas recorrentes é investigar os motivos que levaram a pessoa a continuar falhando numa mesma área. Geralmente existem razões emocionais para esse tipo de atitude. Encontrar soluções pode exigir aconselhamento, conversas com o pastor ou um amigo cristão e até mesmo demonstrar "amor severo" (às vezes a forma mais eficiente de expressar amor) como meio de motivar o cônjuge a lidar com o problema de maneira responsável. Mas sem dúvida a raiz do problema precisa ser tratada para que haja uma solução permanente.

* * *

Os padrões para um casamento de aliança estão, de fato, além da habilidade humana. No entanto, como cristãos, temos à nossa disposição o auxílio divino. Por meio do poder de Deus, podemos perdoar e amar da mesma forma que ele nos ama e perdoa. O casamento de aliança não depende de nossa perfeição. Antes, baseia-se no amor imutável que o Espírito Santo derrama em nosso coração, capacitando-nos a doar e perdoar. A chave para tornar esse sonho realidade é o relacionamento íntimo com Deus.

A partir desse fundamento, nosso próximo passo é estabelecer intimidade com nosso cônjuge. No capítulo 7, estudaremos as razões que tornam a intimidade algo necessário num casamento de aliança.

Questões para refletir

1. Mesmo não tendo se casado durante o tempo em que esteve na terra, o que a vida de Jesus nos ensina sobre casamento?

2. Quais são as três perguntas que nos ajudam a colocar em prática o princípio do serviço?
3. Cite três coisas que você pode fazer imediatamente para que seu casamento se torne um "sonho" do qual você não acorde.
4. Cite algo que você fez esta semana para incentivar seu cônjuge (verbalmente ou não).

Aceitamos

Separe um tempo esta semana para ter um momento individual com Deus. Se você não tem o hábito de fazer isso, pense na ideia de um relacionamento de aliança com ele enquanto você ora. Se você já tem esse hábito, renove sua aliança com ele. Converse abertamente com seu cônjuge sobre o que Deus lhe revelou (e se você acha que ele não revelou nada, seja honesto também!). Juntos, releiam as passagens de Romanos 5.5,8 e Mateus 18.21-22 e tentem responder a estas perguntas:

- Como posso ajudar você?
- Como posso tornar sua vida mais fácil?
- Como posso ser um parceiro melhor?

Segurem as mãos um do outro ao orarem, pedindo a Deus que os capacite com um amor inabalável, que será a base de um casamento que genuinamente reflete o seu amor por nós. Se vocês necessitam de ajuda profissional devido a circunstâncias extenuantes, peça que ele revele essa necessidade e os prepare para encontrar a pessoa certa.

7
Por que a intimidade é tão importante?

Henry era um diácono fiel que raramente faltava às reuniões e quase sempre estava bem disposto e confiante. Certa noite, contudo, percebi que chegou tarde à reunião e não falou muito. Após o encontro, permaneceu na sala enquanto as pessoas se despediam.

— Como vão as coisas, Henry? — perguntei.

Ele abaixou a cabeça e disse:

— Acho que nunca vou entender as mulheres.

— E por que diz isso?

— Minha esposa disse que precisamos de mais intimidade em nosso relacionamento. Disse que éramos mais unidos antes do que agora. Odeio admitir isso, mas não sei do que ela está falando. Pensei que tínhamos um bom casamento, mas ela parece muito infeliz ultimamente. Não sei o que fazer.

Henry não está sozinho quando falamos sobre falta de intimidade. Muitos maridos e esposas já ouviram a palavra *intimidade*, porém compreendem pouco o significado do termo. O que é intimidade? E por que é tão importante para o casamento de aliança? Quero sugerir que essa ideia tem origem em Deus. No início, Deus olhou para Adão e disse: "Não é bom que o homem esteja sozinho" (Gn 2.18). O termo hebraico traduzido por *sozinho* significa, literalmente, "cortado". É a mesma palavra hebraica que usaríamos para descrever uma mão cortada. Isso seria muito ruim, concorda? Pois foi isso o que Deus disse: não é bom que o homem viva sozinho, cortado. Deus identificou aquilo que hoje reconhecemos como um dos problemas emocionais mais profundos em nossa sociedade. Os sociólogos o chamam de alienação; a maioria de nós o conhece por solidão.

Anos atrás comecei um ministério com adultos solteiros na igreja, e hoje temos mais de seiscentas pessoas envolvidas. A reclamação mais comum dos adultos solteiros é: "Me sinto muito sozinho". Há algo em nossa constituição psicológica, espiritual e física que implora por intimidade com outras pessoas. Não é normal vivermos isolados.

Com o objetivo de resolver a solidão de Adão, Deus criou Eva e instituiu o casamento. Ele disse: "Farei alguém que o ajude e o complete. [...] e os dois se tornam um só" (Gn 2.18,24). A palavra *um* em Gênesis 2.24 é o mesmo termo traduzido por único em Deuteronômio 6.4: "Ouça, ó Israel! O SENHOR, nosso Deus, o SENHOR é único!". Essa palavra descreve uma unidade formada por partes distintas. No caso de Deus, três pessoas formam uma: Pai, Filho e Espírito Santo, um único Deus. No casamento, duas pessoas tornam-se uma. Essa unidade é a essência do casamento. *Unidade* é sinônimo de *intimidade*.

No entanto, essa unidade ou intimidade não significa perder nossa individualidade. Na Bíblia, percebe-se claramente a diferença entre Deus Pai, Deus Filho e Deus Espírito Santo; um único Deus que se expressa por meio de três pessoas não idênticas, mas que formam uma unidade. Em Deus dizemos que há unidade com diversidade. O mesmo se aplica ao casamento cristão. A diversidade nos permite liberdade, singularidade. A unidade representa a intimidade mais profunda.

Você já esteve sozinho em algum lugar e, ao experimentar algo novo (um som, uma paisagem, um cheiro), disse para si mesmo: "Puxa vida! Gostaria que ela/ele estivesse aqui"? O que motiva esse desejo? É o anseio profundo e natural de compartilhar a vida com a pessoa com quem você possui um relacionamento significativo. A maioria de nós procura capturar esses momentos com fotografias, cartões-postais, filmagens ou qualquer outro meio à disposição, para, mais tarde (por telefone, carta ou pessoalmente), compartilhar essas experiências com o cônjuge. O casamento foi planejado por Deus para nos libertar da solidão.

Não estou dizendo que as pessoas precisam se casar para ser felizes. O que estou dizendo é que até mesmo os solteiros precisam de outras pessoas. Na maioria de nossas igrejas, o grupo de adultos solteiros é o mais ativo na igreja. Os membros desse grupo reconhecem a necessidade de construir relacionamentos e amizades. Os solteiros, assim como os casados, querem e precisam de momentos de privacidade para estudar, ler, meditar, orar e assim por diante. Mas essa necessidade de privacidade é equilibrada com amizade e vínculos com outras pessoas.

Deus planejou o casamento para ser o relacionamento mais íntimo do ser humano, no qual duas pessoas compartilham a vida em todos os aspectos (intelectual, social, emocional, espiritual e físico) e com tal profundidade que se pode dizer que o casamento os torna *um*. A intensidade com que o casal cristão alcança intimidade nessas áreas determina o grau de satisfação em seu casamento. Essa intimidade é tão fundamental que o casal que ainda não a encontrou terá um casamento vazio. Vemos muitos cônjuges juntos, porém continuam solitários, cortados. Ainda não encontraram a intimidade a qual a Bíblia se refere.

Parece óbvio, portanto, que a intimidade abrange todos os aspectos da vida. Na área da intimidade intelectual, o casal compartilha seus pensamentos, suas experiências, suas ideias e seus desejos. Na intimidade social, interagem com outras pessoas, participando de atividades recreativas como teatro, cinema ou confraternizações na igreja. Na intimidade emocional, compartilham sentimentos e emoções sobre os acontecimentos da vida. A intimidade espiritual implica compartilhar opiniões sobre uma pregação, impressões durante uma meditação pessoal com Deus ou a compreensão de um princípio bíblico. A intimidade física refere-se ao toque físico: beijar, abraçar, andar de mãos dadas e ter relações sexuais. É possível que uma dessas áreas se desenvolva mais do que outras. O ideal é que todas elas se desenvolvam conforme o casal cresce em relacionamento.

O que a esposa de Henry quis dizer com: "Nosso casamento precisa de mais intimidade"? Não há como saber a menos que ela me diga pessoalmente, porém tenho quase certeza de que em uma ou mais dessas cinco áreas ela não se sente íntima de Henry. A intimidade está no âmago do casamento. Foi essa necessidade de intimidade que motivou Deus a criar Eva e instituir o relacionamento conjugal. Quando o matrimônio não desenvolve intimidade, torna-se uma planta seca desesperada por água. A intimidade é a chuva que traz vitalidade ao casamento e, portanto, é extremamente importante num relacionamento de aliança. É por isso que nos capítulos seguintes concentraremos nossa atenção em maneiras práticas para desenvolver intimidade.

Por outro lado, existem pessoas como Henry que parecem satisfeitas com seu casamento. "Pensei que tínhamos um bom casamento", disse ele. Mais tarde, descobri que Henry nunca se relacionou intimamente com ninguém. Todos os seus relacionamentos, inclusive com sua família, foram marcados pela frieza emocional. Ele aprendeu a viver sem intimidade, e após tantos anos sem relacionamentos significativos, perdeu a necessidade desse vínculo. Na verdade, Henry estava muito pouco ciente de suas próprias emoções. Falar sobre uma necessidade emocional ou o desejo por um relacionamento íntimo era uma linguagem estranha para ele.

* * *

O restante deste livro se propõe ajudar você a desenvolver habilidades que o conduzirão a uma comunicação mais efetiva e a uma intimidade mais profunda.

Nos próximos dois capítulos, estudaremos a questão da autocompreensão, pois você precisa se conhecer antes de compartilhar de si com seu cônjuge. Isso inclui descobrir suas emoções. Depois, discutiremos no capítulo 10 algumas formas de estimular a intimidade emocional.

QUESTÕES PARA REFLETIR

1. O que é intimidade? Por que ela é importante em um casamento de aliança?
2. Em seu casamento, qual aspecto da intimidade (intelectual, social, emocional, espiritual e física) é mais forte?
3. Cite algo que você fez esta semana para incentivar seu cônjuge (verbalmente ou não).

ACEITAMOS

Revisem suas respostas à questão número 2. Planejem uma noite esta semana (mesmo que isso signifique cancelar ou remarcar algum compromisso) e façam algo para melhorar pelo menos um dos aspectos da intimidade que precisam de mais atenção em seu casamento. Assistam a uma peça de teatro, um filme ou evento esportivo, preparem um jantar romântico ou sobremesa juntos, discutam algum acontecimento, leiam uma passagem da Bíblia ou façam alguma atividade que estimule a intimidade. Concordem que essa não será uma tarefa estressante. Divirtam-se com ela (mesmo se a sobremesa não ficar boa!).

8
Conhecer a si mesmo: as experiências e suas interpretações

Uma característica extraordinária do ser humano é sua singularidade individual: cada um possui sua própria impressão digital, pegada, marca dos lábios e até mesmo tom de voz. Além disso, somos diferentes quanto à forma de interpretar a vida. Por exemplo, imagine duas pessoas observando o Grand Canyon. Uma admira a beleza das formas e das cores, mas a outra diz: "Não acredito que você me trouxe aqui só para ver um buraco no chão". Assim como cada floco de neve é diferente dos demais, cada indivíduo se difere de muitas maneiras de todos os outros, apesar de vivenciarem a mesma cultura, falarem a mesma língua e terem muitas experiências em comum.

O quanto você conhece sobre a pessoa que habita em seu corpo? As Escrituras dizem que Deus o conhece intimamente. O salmista disse para Deus: "Tu formaste o meu interior e me teceste no ventre de minha mãe. Eu te agradeço por me teres feito de modo tão extraordinário; tuas obras são maravilhosas, e disso eu sei muito bem" (Sl 139.13-14). Você foi criado por Deus e formado à "imagem" do Criador. Como costumava dizer Ethel Waters, a cantora *gospel*: "Deus não faz malfeito, não". Seja qual for seu passado ou o que as pessoas lhe disseram, a verdade é que você é um ser muitíssimo valioso.

As Escrituras também ensinam que você, como cristão, recebeu de Deus um dom exclusivo e que Deus colocou você no corpo dele (isto é, na igreja) para participar de uma função vital

(1Co 12.12-17). Como membro desse corpo, somente você, e ninguém mais, pode completar a tarefa que lhe foi designada. As Escrituras também ensinam que "até os cabelos de sua cabeça estão contados" (Mt 10.30) e que Deus sabe tudo a seu respeito (Sl 139.1-3; Jr 1.4-5). Portanto, se Deus o conhece por inteiro e o considera uma pessoa valiosa para ele, não acha que deveria passar algum tempo familiarizando-se consigo mesmo?

Algumas pessoas relutam em buscar autocompreensão porque temem não gostar do que vão encontrar. Ainda que formados à "imagem" de Deus, somos criaturas decaídas e, portanto, sempre haverá a possibilidade de encontrarmos algo desagradável dentro de nós. A boa notícia é que todas as coisas importantes da vida estão sujeitas à mudança e, consequentemente, são passíveis de correção. Na verdade, essa mudança é o tema central da Bíblia: Deus trabalha ativamente para tornar possível a seus filhos alcançar o potencial para o qual ele os criou. Diante disso, deveríamos estar dispostos a correr riscos a fim de desenvolver uma compreensão mais profunda de nós mesmos.

Neste capítulo e no próximo examinaremos cinco aspectos para desenvolver a autocompreensão: experiências, interpretações, emoções, desejos e comportamentos. Esses cinco aspectos interagem constantemente uns com os outros e, embora analisados individualmente, não ocorrem ou operam em ordem sequencial. Na verdade, não podem ser separados. A combinação desses aspectos funcionando simultaneamente em qualquer ocasião revela quem somos naquele momento.

Experimentamos a vida por meio dos cinco sentidos

Como seria a vida se não tivéssemos os cinco sentidos, isto é, se não fosse possível ver, ouvir, provar, cheirar e tocar as coisas ao redor? Sem dúvida, a vida é muito mais do que nossas experiências por meio desses cinco sentidos. No entanto, é difícil imaginar como seria viver sem eles. Até mesmo nosso conhecimento e nossas experiências com Deus são recebidos, na maioria das vezes, por meio dos sentidos: lemos sobre Deus na Bíblia, ouvimos sobre os atos de Deus na história, nossas emoções são afetadas durante a adoração conforme ouvimos e cantamos hinos na igreja. É por meio de nossos sentidos que experimentamos a maior parte da vida. A alma não depende desses cinco sentidos, mas é alimentada por meio deles.

Durante as horas em que estamos acordados passamos o tempo todo vendo, ouvindo, provando, sentindo e cheirando. A maioria das pessoas age como se tudo fosse normal e não pensa muito a respeito das experiências sensoriais a menos que um dos cinco sentidos pare de funcionar ou diminua sua força, como a perda de audição ou de visão. Quando isso acontece, ganhamos profunda consciência daquilo que considerávamos natural.

É importante adquirir mais consciência sobre o que recebemos por meio de nossos sentidos para valorizarmos mais essas habilidades concedidas por Deus. Qualquer pessoa pode desenvolver um senso de autoconhecimento ao se concentrar nas informações recebidas por meio dos cinco sentidos. Por exemplo, ao ler este parágrafo, concentre-se em cada um de seus sentidos e pergunte: "O que estou vendo nesse instante?". Olhe ao redor e observe todos os fenômenos sensoriais que estejam ao seu alcance. Escute sons ou pegue objetos próximos de você e veja como são feitos. Talvez você esteja comendo enquanto lê este livro. Qual é o sabor dessa comida? Doce, azedo, salgado, amargo? Que aromas você percebe? Não é preciso se concentrar muito para intensificar a percepção das coisas ao nosso redor.

Meu filho e eu visitamos o Parque Nacional das Montanhas Rochosas, ao norte de Denver, no Colorado. Andando pelas trilhas do parque, *vi* formações rochosas que nunca havia visto antes, *toquei* a neve que sobrou do inverno, parei para *cheirar* flores e *ouvi* o murmúrio do vento passando pelas fendas nas rochas. Foi uma experiência sensorial.

Agora, sentado em minha escrivaninha enquanto digito este parágrafo no computador, sinto-me bem distante daquelas experiências. Entretanto, elas são parte de quem sou, e ao compartilhá-las acabei dividindo um pouco de mim com você. A vida é cheia desses momentos, e na verdade essas experiências compõem a matéria-prima da qual a vida é feita. Quanto mais estivermos em contato com nossos sentidos, mais experimentaremos a vida.

Podemos nos exercitar a fim de nos tornarmos mais atentos aos nossos sentidos e, assim, experimentar muito mais coisas na vida. Quem perde um dos órgãos sensoriais, a visão por exemplo, provavelmente compensará essa perda prestando mais atenção aos outros sentidos. Muitos cegos têm o tato mais desenvolvido do que as pessoas que enxergam.

Será que ser cristão tem algum impacto em nossa experiência sensorial? Talvez seu primeiro impulso é responder que não. Embora cristãos e não cristãos experimentem o mundo com os mesmos cinco sentidos, as coisas que escolhemos ver, ouvir, tocar, provar e cheirar podem ser influenciadas por nosso sistema de crenças. Por exemplo, um não cristão talvez nunca tenha provado o pão sem fermento que é servido na Ceia do Senhor. Espero que os cristãos nunca enxerguem o mundo com olhos inebriados. Além disso, pode haver certas coisas que o cristão evitará olhar ou ouvir. Do mesmo modo, os não cristãos podem decidir não ouvir música cristã. Portanto, nossas experiências sensoriais são afetadas por nossa fé cristã.

Experiências conduzem a interpretações

Interpretamos tudo aquilo que experimentamos por meio dos cinco sentidos. Somos seres pensantes; atribuímos significado àquilo que experimentamos. A interpretação dessas experiências é influenciada pelo que aconteceu conosco no passado, por nossa maneira de encarar o presente e nossas ideias sobre o futuro. Isso explica por que você e seu cônjuge interpretam o mesmo fenômeno de maneiras diferentes. Por exemplo, suponha que vocês vejam uma moça solteira visitando o grupo de casados na escola dominical. Um de vocês pode pensar que ela veio roubar o marido de alguém, enquanto o outro pode interpretar que ela se sente segura o bastante para ter comunhão com pessoas casadas sem se sentir deslocada.

Na maioria das vezes, interpretamos as experiências de modo diferente. Dois homens observam uma mulher sorrindo para eles. Um deles imagina: "Ela gosta de mim"; o outro: "Ela está rindo de mim; deve pensar que sou esquisito". Quem está com a razão? Somente a mulher que sorriu poderá nos dizer. Além disso, pode ser que nenhum dos dois esteja certo. No entanto, cada um se comportará de acordo com sua interpretação.

A maneira como interpretamos nossas experiências de vida influencia nosso comportamento e emoções. Suponha que você passe o sábado inteiro fora de casa e, ao retornar à noite, encontre a pia cheia de louça para lavar e um bilhete de seu cônjuge sobre a mesa: "Fui a uma reunião na igreja. Provavelmente voltarei tarde. Te amo". Suas experiências sensoriais lhe fornecem duas informações: louça suja e um bilhete. A partir disso, você fará uma interpretação dessa experiência, talvez: "Alguém espera que eu lave a louça". Baseado nessa interpretação, talvez se sinta chateado, com raiva ou até mesmo magoado e decida não lavar a louça. Ou talvez interprete de maneira diferente: "Ele/ela precisou sair às pressas. Provavelmente surgiu um imprevisto". A partir disso, talvez fique preocupado com o ocorrido e decida lavar a louça. Obviamente, seus sentimentos e comportamento foram influenciados por sua interpretação dessa experiência sensorial.

Conforme observamos, nossas interpretações são influenciadas por nossas experiências prévias, nossa forma presente de pensar e nossas ideias sobre o futuro. Se seu cônjuge geralmente espera que você lave a louça, então provavelmente será essa a sua conclusão nesse caso. Contudo, se seu cônjuge for o tipo de pessoa que quase sempre lava a louça logo após as refeições, você provavelmente concluirá que dessa vez aconteceu algo fora do comum e não houve tempo para lavar a louça.

Por meio desse exemplo, percebe-se claramente como nossa disposição mental influencia nossas interpretações. Se você teve um dia muito bom, isto é, se tudo saiu como planejado e todos os seus objetivos foram alcançados, trazendo-lhe um sentido de realização, talvez interprete a louça suja como um sinal de que seu cônjuge não teve tempo para isso e, portanto, você arregaça as mangas e assume a tarefa com entusiasmo e alegria. No entanto, se teve um dia ruim, isto é, se nada saiu como o esperado e nenhum objetivo foi alcançado, deixando-o com aquela sensação de inutilidade, talvez pense que seu cônjuge está querendo se esquivar da responsabilidade e, por isso, você passa a olhar aquele monte de panela suja sobre a pia como se fosse uma doença contagiosa.

Seus "planos para o futuro" também podem influenciar suas interpretações. Se sua intenção para aquela noite era desfrutar um momento romântico e aconchegante, talvez fique mais propenso a interpretar a louça suja como uma indicação de falta de tempo de seu cônjuge. Contudo, se passou o dia com a ideia de assistir a um filme, talvez sua inclinação seja interpretar a louça suja como um sinal de preguiça de seu cônjuge.

Na situação descrita, não há como saber a motivação de seu cônjuge, e você possui apenas um conhecimento limitado sobre as circunstâncias. Só lhe restam as informações de sua experiência sensorial: a louça suja e um bilhete. A única maneira de saber o verdadeiro motivo daquela situação é obter uma resposta honesta de seu cônjuge sobre o que ele realmente esperava, pensava e sentia naquele momento. Se não fizer uma confirmação externa de suas interpretações, estas se tornarão fato consumado em sua mente e você passará a agir e sentir de acordo com elas. Essa é uma das principais causas de mal-entendidos entre cônjuges: pensar que suas interpretações estão corretas antes de confirmá-las. Toda interpretação deve ser deixada em aberto, e precisamos estar sempre dispostos a alterá-las quando surgirem novas informações sobre a situação.

Como seres humanos, somos impelidos a buscar compreensão sobre as coisas, interpretando e tirando conclusões sobre o que vemos, ouvimos, tocamos, degustamos e cheiramos; formamos opiniões, ideias e crenças sobre tudo isso. Por exemplo, duas pessoas observam uma rosa vermelha. Uma pensa: "Que flor! Que formas! Como Deus é maravilhoso!", e a outra: "Que tipo de adubo utilizaram?". Percebe-se que a interpretação é influenciada pelo sistema de crenças do indivíduo. A importância desse aspecto na autocompreensão é observada em Provérbios 23.7: "Porque, como imagina na sua alma, assim é" (RC). Portanto, grande parte do processo de autoconhecimento implica prestar atenção às interpretações que fazemos das experiências da vida. Distinguir entre acontecimento e interpretação é extremamente importante.

Por exemplo, seu marido chega em casa mais tarde do que o habitual, e você nota algo parecido com uma marca de batom no colarinho dele. Suas observações e a interpretação do fato influenciarão suas emoções e seu comportamento. Portanto, é indispensável coletar a maior quantidade possível de informações antes de emitir um julgamento final.

* * *

As experiências e a maneira como as interpretamos são dois aspectos da autocompreensão. No capítulo 9, veremos outros três elementos que compõem esse processo.

Questões para refletir

1. Você acredita ser uma pessoa incrivelmente valiosa? Por quê?
2. Ser cristão é algo que causa um impacto em suas experiências sensoriais? De que forma?
3. Cite uma experiência que teve com seu cônjuge na qual cada um interpretou o ocorrido de forma diferente. Talvez algo que observaram ou algo que envolveu vocês dois diretamente. Quem interpretou da forma correta? Houve verdade nas duas interpretações ou os dois estavam equivocados?
4. Cite algo que você fez esta semana para incentivar seu cônjuge (verbalmente ou não).

Aceitamos

Relembre um momento em que você teve um "plano para o futuro" e seu cônjuge o frustrou. Baseado no que leu neste capítulo, empenhe-se para recriar esse momento e dar a ele um desfecho diferente. O resultado pode ser seu plano original ou talvez algo diferente que tenha surgido após alguma reflexão. A recriação pode ser algo simples, envolvendo uma encenação ou conversa. Ou pode ser mais elaborada e dramática, como uma refeição ou um local especial. O importante é a reconstituição do fato com um resultado desejável.

9
Conhecer a si mesmo: emoções, desejos e escolhas

Não somos computadores. Reagimos com emoções e sentimentos espontâneos de acordo com a situação que estamos vivendo. Se vejo relâmpagos no céu, talvez fique com medo. Quando alguém me abraça, talvez me sinta seguro ou amado. Se criticarem a maneira como executei um trabalho, talvez fique desanimado. Se souber que estarei de férias no próximo mês, talvez fique muito feliz. E talvez fique irritado ou frustrado se alguém andar com os sapatos sujos de lama sobre o carpete que acabei de limpar.

As emoções são exclusivamente pessoais

Talvez a característica mais notável do ser humano seja a emoção. Raramente duas pessoas se sentem da mesma maneira sobre determinada experiência sensorial. Ainda que utilizem as mesmas palavras para descrevê-la, por exemplo: "Estou chateado por não irmos ao evento", haverá diferença quanto ao nível de decepção, pois somente o indivíduo sabe o que sente e com que profundidade. Muitas vezes somos influenciados por nossos sentimentos, mesmo quando não temos consciência deles. Prestar atenção a nossas emoções resultará numa autocompreensão maior.

Costumamos dividir as emoções em duas categorias: positivas e negativas. Quanto às positivas, podemos listar felicidade, empolgação, vibração e satisfação. Na categoria das negativas, listamos raiva, medo, ressentimento e desânimo. Em geral, as emoções positivas são sentimentos que nos atraem a uma pessoa, um lugar ou uma coisa, ao passo que as negativas são sentimentos que nos afastam das pessoas, lugares ou coisas. Por exemplo, se eu me sentir amado por você, então desejarei ficar a seu lado; mas, se eu estiver ressentido com você, provavelmente me retrairei física e emocionalmente.

Como cristãos, é importante compreendermos que ter emoções negativas não é pecado. Não existe certo ou errado em termos de sentimentos; eles simplesmente existem. Somos humanos, logo, sentimos. Lendo Colossenses 3.8, "agora é o momento de se livrarem da ira", alguns concluem que esse sentimento negativo é pecaminoso. Contudo, a exortação de Paulo se refere a não guardarmos a ira por longos períodos de tempo. Conforme nos diz Efésios 4.26, não devemos deixar que o sol se ponha sobre nossa ira. Não está escrito que a ira é pecaminosa. Ela é um sentimento temporário cuja função é nos alertar para alguma questão que precisa ser resolvida. Mas a ira não deve fixar morada em nosso coração. Muitos cristãos ficam chocados ao descobrir que o próprio Jesus se sentiu dessa maneira em mais de uma ocasião (Mc 3.5; 10.14) e também teve sentimentos de angústia e tristeza (Mt 26.37-38). Embora tivesse uma natureza divina, Cristo também era humano, e suas emoções percorreram todo o espectro de sentimentos negativos e positivos.

Portanto, não precisamos pedir perdão por aquilo que sentimos. Contudo, esses sentimentos dizem algo sobre quem somos. Fornecem pistas sobre como lidamos com a situação presente. Pense nas emoções como as luzes no painel de instrumentos de seu carro, que informam que algo precisa ser verificado. Você pode ignorar a luz vermelha indicando que o óleo do motor está baixo, ou pode parar no próximo posto e completar o nível. A mesma analogia se aplica a suas emoções. Você pode optar por ignorar determinado sentimento negativo ou dedicar-se a fazer algo construtivo quanto à área ao qual esse sentimento está relacionado. Não conseguirá livrar-se deles negando que os tem, muito menos controlá-los varrendo-os para debaixo do tapete. Se ignorar a luz vermelha no painel, será apenas questão de tempo até o motor do carro parar devido à falha. Da mesma forma, se ignorar suas emoções negativas, em breve seu corpo e seus relacionamentos serão danificados.

Você pode alterar suas emoções reexaminando os fatos ou coletando mais informações. Voltando ao exemplo da louça suja no capítulo 8, vamos supor que seu filho adolescente chegue em casa no momento em que você ainda analisa a situação e lhe diz que seu cônjuge passou a tarde toda no pronto-socorro com a filha mais nova de vocês por causa de um corte profundo no dedo. Provavelmente suas emoções se alterarão imediatamente em favor de seu cônjuge. Em geral não recebemos informações adicionais a menos que solicitemos. Como vimos no exemplo em questão, é algo que vale a pena buscar.

Observe quatro aspectos das emoções. *Primeiro*, elas costumam ocorrer espontaneamente. Ninguém pensa: "Agora vou sair de casa e me sentir solitário". O sentimento de solidão nos acomete subitamente, não é algo que escolhemos sentir.

Segundo, as emoções de modo geral aparecem em grupos, isto é, sentimos mais de uma emoção. Se nos envolvermos num acidente de automóvel, sentiremos raiva, frustração, ansiedade e cautela, tudo ao mesmo tempo.

Terceiro, as emoções têm níveis diferentes de intensidade. Podemos sentir felicidade moderada ou alegria intensa, tristeza momentânea ou depressão profunda.

E *finalmente*, determinados sentimentos podem conflitar uns com os outros. Por exemplo, seu marido comprou algo por quinhentos reais; uma pechincha, pois normalmente custaria quase o dobro. Talvez você fique feliz com a economia e, ao mesmo tempo, temerosa porque contava com aquele dinheiro para cobrir uma compra de trezentos reais que você fez e não comunicou a ele.

Seu filho adolescente chega em casa uma hora depois do combinado. Você pode sentir alívio por ele estar em casa e feliz pela segurança dele. No entanto, também pode sentir certo aborrecimento por ele não ter se importado em avisar.

Prestar atenção a suas emoções lhe fornecerá uma melhor compreensão de quem você é e por que age de determinada maneira. Uma forma de aumentar a sintonia com suas emoções é perguntar-se: "Como me sinto neste momento?". Outra maneira é observar sua postura física. Você sorri ao conversar com alguém? Olha a pessoa nos olhos? Qual seu tom de voz? A maneira como você reage em determinadas circunstâncias lhe dará pistas para descobrir seus sentimentos. O que você sente em qualquer momento revela aspectos de sua personalidade. Quando você diz: "Estou feliz" ou "Estou com raiva", na verdade está descrevendo sobre quem você é. Sentimentos são aspectos importantes de nossa vida e influenciam muito nosso comportamento.

Os desejos revelam o íntimo

Somos criaturas com desejos, isto é, queremos certas coisas, queremos agir de determinada forma ou queremos que as pessoas façam certas coisas. De modo geral, os desejos se manifestam em expressões do tipo "quero", "espero" ou "gostaria".

Podem refletir expectativas futuras (espero ficar milionário algum dia) ou imediatas (gostaria de jogar bola neste fim de semana). Temos desejos em todas as áreas da vida, da busca por coisas materiais a anseios no relacionamento conjugal. Esses desejos muitas vezes representam a motivação de nossas ações. Por exemplo, meu desejo de fazer minha esposa se sentir amada pode ser um estímulo para eu comprar-lhe uma dúzia de rosas.

Talvez você não esteja consciente de seus desejos ao ler este capítulo, mas se refletir por alguns instantes provavelmente poderá listar vários. Em termos materiais, talvez deseje uma churrasqueira nova, cortinas mais modernas para a sala, tapetes para o quarto, roupas novas ou um carro novo. No âmbito espiritual, talvez deseje empenhar-se para compartilhar sua fé com maior entusiasmo, ser mais constante em suas devocionais, ter mais disposição para perdoar os outros ou ser mais generoso em suas contribuições. No relacionamento com seu cônjuge, talvez busque mais comunicação, menos brigas, mais afeição ou um grau maior de satisfação sexual. Essa lista poderia prosseguir indefinidamente em cada aspecto de sua vida.

Nem todos os anseios têm o mesmo valor. Na verdade, alguns desejos podem ser maus e egoístas. As Escrituras nos exortam a abandonar esses impulsos. Paulo mostrou que os erros do antigo Israel servem de exemplo para nós, "a fim de que não cobicemos o que é mau, como eles cobiçaram" (1Co 10.6). Jesus deixou claro que nutrir desejos impuros é pecado: "Eu, porém, lhes digo que quem olhar para uma mulher com cobiça já cometeu adultério com ela em seu coração" (Mt 5.28).

Não há como impedir esses desejos de passarem por nossa mente, mas não precisamos alimentá-los. Atribui-se a Martinho Lutero a frase: "Não podemos impedir os pássaros de voar sobre nós, mas podemos impedi-los de construir ninho em nossa cabeça". Paulo nos instruiu a levar "cativo todo pensamento rebelde e o ensinamos a obedecer a Cristo" (2Co 10.5), e aqui a palavra traduzida por *cativo* significa, literalmente, "cercar com rede". A imagem é semelhante àquela de capturar borboletas com uma rede. Devemos capturar todos os nossos desejos, ou lançar redes sobre eles, e levá-los para Deus, colocando-os sob seu senhorio. Se forem maus, devem ser abandonados, mas se forem bons, devemos nos esforçar para realizá-los.

Adquirir consciência de nossos desejos é o primeiro passo para avaliarmos se são bons ou maus, altruístas ou egoístas. Lembre-se de que não é pecado ter desejos maus ou egoístas; o pecado surge quando alimentamos tais desejos e agimos de acordo com eles. Alguns cristãos se sentem culpados quando têm desejos maus, pensando que, se fossem bons seguidores de Cristo, não teriam esses desejos. Mas a verdade é que somos todos pecadores e os pensamentos pecaminosos são parte de nossa natureza decaída. A boa notícia é que não precisamos obedecer a esses desejos, pois contamos com o auxílio do Espírito Santo.

Proponho a seguinte oração para quando ocorrerem pensamentos maus: "Senhor, tu sabes o que estou pensando neste momento, porém te agradeço porque por meio de teu poder não preciso obedecer a esse desejo. Guia-me à medida que uso minha vida para coisas construtivas". Após essa oração, tome uma atitude construtiva. Orar dessa forma não removerá os desejos maus de sua mente, mas o ajudará a canalizar suas energias para atividades positivas e construtivas, pois você entregou seus desejos para Deus e os submeteu ao senhorio de Cristo.

Assim como ocorre com os sentimentos, nossos desejos também podem entrar em conflito. Por exemplo, o marido deseja ir com a esposa ao teatro, mas também gostaria de participar de uma programação na igreja. Os desejos também podem variar em intensidade. Posso atribuir a meu desejo de ser milionário o valor cinco, numa escala de zero a dez, e a meu desejo de passar mais tempo com meus filhos o valor dez.

São os desejos que, em geral, nos levam a agir. Isso é extremamente positivo quando eles são saudáveis. Adquirir consciência de nossos desejos e avaliar seus valores é parte importante do processo de autoconhecimento. Nesse sentido, um exercício útil é pensar nas áreas de sua vida em termos de sentenças e depois completá-las: "Nessa área eu desejo...". Essas áreas podem ser sua vida espiritual, vocação, bem-estar dos filhos ou casamento. Os desejos estavam em seu coração antes mesmo de você completar as sentenças; o exercício simplesmente os revelou.

Comportamentos revelam escolhas

A mentalidade "não fique aí parado, faça alguma coisa" parece fazer parte de nossa humanidade. O ser humano é uma criatura de ação. Decidimos agir de determinado modo em resposta a nossas experiências sensoriais e à forma como interpretamos essas experiências por meio de nossos sentimentos e desejos. Essas decisões, na maioria das vezes, nos parecem lógicas, sensatas. Nosso comportamento é o aspecto mais observável de nossa vida e levam outros a formar opiniões sobre nós. Jesus disse: "Vocês os identificarão por seus frutos" (Mt 7.16). Noutra ocasião, disse: "Seu amor uns pelos outros provará ao mundo que são meus discípulos" (Jo 13.35). É óbvio que Jesus estava se referindo ao amor interior que se demonstra por meio de atos exteriores, pois a única coisa que as pessoas veem são nossos atos, e não as motivações interiores. Por isso, nosso comportamento é muito importante quando ministramos aos outros.

Em geral nos sentimos bem quando demonstramos comportamento positivo e adequado, ao passo que as atitudes pecaminosas trazem vergonha ou culpa. Sinto-me culpado quando ofendo minha esposa, mas meu desejo de estar em comunhão com Deus e com ela me motiva a admitir meu erro e pedir perdão. Minha esposa ouve minha confissão, vê minhas expressões faciais, interpreta minha sinceridade e tem compaixão de mim. Também possuindo o desejo de fazer o certo e agir como cristã, ela decide me perdoar e nosso relacionamento é restaurado.

Às vezes só percebemos nosso comportamento quando alguém nos diz. Muitas vezes minha esposa toca meu braço enquanto dirijo e por esse gesto percebo imediatamente que passei do limite de velocidade. Até sentir o toque dela, não percebo minha atitude. Seu marido pode dizer que gosta do jeito que você sorri quando está cantando no coral, algo de que talvez você não tenha se dado conta. Com frequência aconselho casais que não estão cientes da maneira negativa de falar e do efeito que isso causa nas reações do outro. Após adquirirmos consciência de nossos padrões de comportamento, temos a possibilidade de mudá-los, se quisermos.

Existe tanto uma dimensão espiritual quanto humana na mudança de comportamento. Paulo se refere a essa dimensão espiritual em sua própria vida quando diz:

> Não entendo a mim mesmo, pois quero fazer o que é certo, mas não o faço. Em vez disso, faço aquilo que odeio. [...] Quero fazer o bem, mas não o faço. Não quero fazer o que é errado, mas, ainda

assim, o faço. Então, se faço o que não quero, na verdade não sou eu quem o faz, mas o pecado que habita em mim.

Romanos 7.15,18-20

Depois de comentar sobre essa luta espiritual, Paulo aponta que somos libertos da escravidão dessa natureza pecaminosa por meio do poder do Espírito Santo, que nos capacita a realizar as coisas boas que desejamos (Rm 8.1-2). Desse modo, como cristãos, sabemos que o verdadeiro poder para viver de maneira correta é submeter-nos ao Espírito Santo e permitir que ele controle nosso comportamento.

Entretanto, também há uma dimensão humana em nosso comportamento, que é o foco deste capítulo. Por trás da conduta humana estão nossas experiências sensoriais, interpretações dessas experiências, sentimentos e desejos. Se quisermos compreender porque agimos de determinado modo, precisamos adquirir consciência desses quatro aspectos de nossa natureza. No dia a dia, a maior parte desse processo ocorre em nível subconsciente, isto é, não percebemos claramente o que sentimos, quais são nossos desejos e como interpretamos nossas experiências sensoriais. No entanto, se nos dispusermos a prestar atenção e desenvolver autoconhecimento, entenderemos melhor nossa conduta e provavelmente agiremos de modo positivo e construtivo.

Observe que os cinco aspectos da autocompreensão (experiências, interpretação, emoções, desejos e comportamento) estão todos inter-relacionados numa sucessão lógica. Entretanto, às vezes nos concentramos mais num aspecto do que em outro. Por exemplo, no capítulo anterior falamos sobre duas pessoas observando o Grand Canyon. Uma delas concentrou-se no *sentimento* (a beleza, as cores, a magnitude do lugar) e a outra no *desejo* (talvez pensando num lanche caprichado ou num refrigerante bem gelado). Para essa última, o Grand Canyon era apenas mais um lugar para visitar, um grande buraco no chão, que ela trocaria sem pestanejar por qualquer outra coisa mais empolgante. Estar plenamente consciente de quem somos em determinado instante é estar em contato com os cinco aspectos da autocompreensão.

A tendência da sociedade ocidental é exaltar as emoções e os desejos em detrimento da razão e da escolha. Ouve-se muita conversa hoje em dia sobre "ser honesto consigo mesmo". Um marido diz: "É verdade, preciso ser honesto comigo mesmo. Não amo minha esposa"; e uma esposa diz: "Preciso ser honesta comigo mesma. Odeio meu marido e não quero mais viver com ele". Ao final, ambos se utilizam disso como desculpa para o divórcio. Observe atentamente que as duas declarações falam de *sentimentos*: o marido cita a palavra *amor*; a esposa, *ódio*. Ambos se referiram a suas emoções. Nessas declarações, os indivíduos concluem que seus sentimentos são mais importantes e, consequentemente, agem de acordo com o que sentem.

Isso é um erro comum. Em nossa sociedade, somos inclinados a exaltar os *sentimentos* e *desejos* como as coisas mais importantes. Isto é, concluímos que nosso eu verdadeiro é representado pelo que sentimos e desejamos. É um erro grave pensar assim e não está de acordo com o ensinamento bíblico. A sabedoria das Escrituras ensina: "Porque, como *imagina* na sua alma, assim é" (Pv 23.7, RC, grifo acrescentado). Para a Bíblia, a ênfase recai no *pensamento* e não no sentimento. No Novo Testamento lemos:

> Por fim, irmãos, quero lhes dizer só mais uma coisa. Concentrem-se em tudo que é verdadeiro, tudo que é nobre, tudo que

é correto, tudo que é puro, tudo que é amável e tudo que é admirável. *Pensem* no que é excelente e digno de louvor. *Continuem a praticar* tudo que aprenderam e receberam de mim, tudo que ouviram de mim e me viram fazer. Então o Deus da paz estará com vocês.

Filipenses 4.8-9, grifos acrescentados

Observe a ênfase no *pensar* e no *praticar*. Nosso modo de interpretar as experiências da vida e a maneira de agir em relação a essas interpretações são mais importantes do que nossos sentimentos ou desejos.

Vejamos uma ilustração desse conceito a partir do exemplo do Senhor. A vida de Jesus chegava ao fim, restavam-lhe apenas algumas horas antes da crucificação, e então:

> Jesus foi com eles a um lugar chamado Getsêmani e disse: "Sentem-se aqui enquanto vou ali orar". Levou consigo Pedro e os dois filhos de Zebedeu e começou a ficar *triste* e *angustiado*. "Minha alma está *profundamente triste*, a ponto de morrer", disse ele. "Fiquem aqui e vigiem comigo." Ele avançou um pouco, curvou-se com o rosto no chão e orou: "Meu Pai! Se for possível, afasta de mim este cálice. Contudo, que seja feita a tua vontade, e não a minha".

Mateus 26.36-39, grifos acrescentados

Observe com atenção as palavras em itálico. Quais são os sentimentos de Jesus? Angústia e tristeza profunda. Quais são seus desejos? "Se for possível, afasta de mim este cálice!" No entanto, como interpretou a situação? "Contudo, que seja feita a tua vontade, e não a minha." Cumprir a vontade do Pai era mais importante do que seus sentimentos e desejos. O comportamento de Jesus não se baseava em seus sentimentos ou no desejo momentâneo por alívio do sofrimento, mas em sua interpretação de que a vida não deve ser controlada por sentimentos e desejos, e sim pela vontade do Pai.

Isso é uma lição importante para aprendermos, especialmente numa sociedade que exalta as emoções e os desejos e nos leva a pensar que nunca seremos felizes se não obedecermos a nossos sentimentos e aspirações. Na verdade, nossos sentimentos e desejos devem sempre estar integrados ao intelecto e à vontade. A pior forma de imaturidade ocorre quando alguém se deixa controlar por seus sentimentos e desejos. A mente decide a validade de uma ação motivada pelos sentimentos e a vontade trata de colocar essa decisão em prática. Por exemplo, talvez eu tenha medo de dizer à minha esposa que me esqueci de passar no supermercado para comprar as coisas que ela me pediu. No entanto, minha mente decide que não devo agir apoiado no medo, e minha vontade me leva a dizer a verdade. Se formos destacar alguns dos cinco aspectos da autocompreensão, deveríamos escolher a interpretação e o comportamento. Esses são os mais importantes.

Então, isso significa que desejos e sentimentos não são importantes? De modo algum. São essenciais à nossa personalidade e não podem ser ignorados ou negados. É somente adquirindo consciência de nossas emoções e nossos desejos que podemos analisá-los e escolher nossa conduta com sabedoria. Entretanto, a forma como pensamos influencia sobremaneira nossos sentimentos. Seja qual for a circunstância, sempre tenho a possibilidade de pensar o melhor ou o pior de minha esposa. Se eu decidir pensar o pior, quase inevitavelmente sentirei raiva e ressentimento. Mas, se pensar o melhor, meus sentimentos serão neutros, talvez até positivos. É claro que, ao decidir pensar o melhor, corro o risco de ficar decepcionado caso informações posteriores revelem que eu estava errado. No entanto, terei uma melhor disposição mental para lidar com essa possível decepção.

Como cristãos, contamos com auxílios extraordinários para desenvolver nosso casamento. Não apenas possuímos a habilidade de desenvolver autocompreensão, coisa que os não cristãos também possuem, como também adquirimos discernimento por meio das Escrituras e contamos com o Espírito Santo para nos auxiliar a interpretar a vida e conduzir nossos pensamentos e comportamentos. O casal que fizer uso desses recursos estará anos-luz à frente dos não cristãos no desenvolvimento de um casamento feliz.

Quero ilustrar melhor essa situação voltando ao exemplo do marido que pensa não amar mais sua esposa e sente que deve divorciar-se. Um cristão com esse desejo provavelmente se sentiria frustrado também, uma vez que a Bíblia ensina que o marido deve amar sua esposa da mesma forma que Cristo amou a igreja (Ef 5.25). Ele também sabe que as Escrituras ensinam sobre a perpetuidade do casamento e que Deus odeia o divórcio (Ml 2.16). O que esse marido deve fazer então? Levar esses desejos para Deus e pedir sabedoria, buscando direção para sua vida nas Escrituras. Um princípio bíblico afirma que dispor de muitos conselheiros resulta em segurança (Pv 11.14). Portanto, procurando obedecer à palavra de Deus, esse marido buscará aconselhamento ou livros cristãos que tratem de problemas semelhantes aos dele. Ao escolher uma dessas abordagens, ele provavelmente descobrirá que esses sentimentos e desejos são comuns, que a euforia romântica do casamento sobe e desce como a maré, e que há períodos nos quais essa euforia praticamente desaparece. Existem razões para isso, e essas normalmente estão relacionadas a necessidades físicas e emocionais não satisfeitas. Ele também aprenderá que há maneiras de reavivar esses sentimentos românticos e positivos em seu relacionamento.

Por fim, esperamos que esse marido alcance um estágio no qual consiga compartilhar essa luta emocional com sua esposa. Por sua vez, esperamos que o compromisso pessoal da esposa com Cristo produza a motivação necessária para ela reavaliar as bases do casamento, compreender seu marido e trabalhar com ele na reconstrução de um relacionamento de amor. Com o tempo eles experimentarão o ressurgimento dos sentimentos românticos e desfrutarão um relacionamento mais significativo. Assim, o marido colherá os frutos ao permitir que a interpretação cristã influencie seu comportamento de maneira mais profunda do que fariam seus sentimentos e desejos. Os não cristãos, por desconhecerem esses recursos, continuarão a obedecer a suas emoções e desejos, sofrendo as consequências dessa insensatez. Se prestarmos atenção aos cinco aspectos da autocompreensão, teremos mais probabilidades de tomar decisões responsáveis.

* * *

Quanto mais desenvolvermos a autocompreensão, mais preparados estaremos para compartilhar a vida com nosso cônjuge. No capítulo 10, examinaremos o processo da autorrevelação, o qual intensifica a intimidade.

QUESTÕES PARA REFLETIR

1. Leia Marcos 3.5; 10.14 e Mateus 26.37-38 e considere esta declaração: "Não existe certo ou errado em termos de sentimentos; eles simplesmente existem". Pense em

uma situação na qual você se viu pedindo desculpas por seus sentimentos ou desconsiderando o sentimento de outra pessoa.
2. Em tais situações, você tentou obter mais informações? Se tentou, você justificou seu posicionamento original ou reconsiderou sua reação emocional? Se não tentou obter mais informações, qual foi o motivo?
3. Reflita sobre a seguinte declaração: "Não é pecado ter um desejo mau ou egoísta; o pecado é alimentar esse desejo e colocá-lo em prática". Você concorda com isso? Por quê?
4. Ao longo do seu casamento, com que frequência os sentimentos e desejos predominaram? Em algum momento nessas ocasiões você integrou seu intelecto com sua vontade? Qual foi o resultado?
5. Para ser proativo em relação aos desejos, principalmente os que são maus e egoístas, você precisa ter um plano de ação. Parte dele implica uma consciência sobre suas verdadeiras intenções. Qual é seu plano de ação — algo construtivo e positivo — para quando você identifica desejos maus e egoístas?

Aceitamos

Pense em um comportamento positivo de seu cônjuge, algo que talvez ele não tenha muita consciência que faz. Separe um momento para elogiar esse comportamento. Agora pense em algo que ele faz talvez sem estar muito consciente — um padrão negativo de discurso ou meias que não chegam até o cesto de roupa suja. Existe alguma forma de tornar seu cônjuge consciente desse comportamento de uma forma que ele ainda se sinta amado e seguro?

10
A arte da autorrevelação

Talvez você esteja pensando: "Por que toda essa ênfase em autocompreensão? Eu já sei que enxergo a vida por meio dos cinco sentidos, que atribuo significado às minhas experiências, que faço escolhas e tenho emoções e desejos. Por que preciso gastar tanto tempo me conhecendo melhor?". Na verdade, a questão principal não é autocompreensão, mas *intimidade conjugal*. O casamento de aliança, conforme descrito na Bíblia, não se refere a duas pessoas dividindo o mesmo teto. Antes, fala de duas pessoas cujo coração e vida estão ligados em intimidade profunda. Todavia, para obter essa intimidade é necessário que os cônjuges se revelem um ao outro. A autorrevelação é pré-requisito para isso. Como direi a você quem sou, se nem eu mesmo me conheço direito?

    A autocompreensão e a autorrevelação são os processos que permitem ao casal construir intimidade no casamento. O processo de autorrevelação permite às pessoas adquirirem uma perspectiva mais clara de como se sentem e quais são seus desejos verdadeiros. Por exemplo, uma esposa diz ao marido que se sente decepcionada por ele não a ter apresentado aos amigos. Seu ressentimento não era tanto porque não foi apresentada, mas por achar que não é importante para ele. Ela imaginava que, se fosse realmente importante, ele a teria apresentado. Essa esposa está adquirindo autocompreensão ao revelar seus sentimentos ao marido. O propósito da autorrevelação é ser conhecido pelo outro, adquirir afinidade e intimidade no relacionamento, ser compreendido e permitir que o outro veja nossa singularidade.

O princípio fundamental da autorrevelação é aprender a falar por si mesmo, algo conhecido pelos especialistas em comunicação como declarações em primeira pessoa (eu), em vez de declarações em segunda pessoa (tu/você). Talvez você passe a me conhecer melhor se eu iniciar minhas sentenças na primeira pessoa, pois dessa forma revelarei não apenas minhas experiências, mas também minhas emoções, meus desejos e minha conduta. O discurso a seguir contém alguns exemplos comuns de declarações em primeira pessoa: "Ouvi você dizer que pretende jogar futebol no sábado. Isso significa que você não vai comigo ao aniversário de minha mãe. Estou decepcionada, pois esperava que ambos fôssemos visitá-la. Estou compartilhando isso porque talvez eu não tenha compreendido o que quis dizer, ou talvez você tenha se esquecido da festa. Quero saber quais são seus pensamentos e sentimentos a esse respeito, pois não desejo que isso se torne uma barreira entre nós".

As declarações em segunda pessoa, ao contrário, procuram fazer o impossível, isto é, falar pela outra pessoa, como se pudéssemos ler seus pensamentos e conhecer seus sentimentos e desejos. Um exemplo de discurso desse tipo seria: "Você disse que pretende jogar futebol no sábado. Sabe muito bem que sábado é o aniversário de minha mãe. Você nunca pensa em mim e nos meus sentimentos. Tudo o que importa são as coisas que você quer fazer". São declarações em que se presume conhecer as intenções, os pensamentos e os desejos do outro.

Nem todas as declarações em segunda pessoa são condenatórias. Uma esposa diz ao marido: "Sei que você me ama, pois sempre foi gentil comigo e está sempre buscando fazer o que me agrada. Você é muito atencioso e amável". Contudo, talvez ela esteja tentando manipular o marido para que faça a vontade dela.

Quando expressamos declarações como: "Você está nervoso", "Você não gosta de mim", "Você deveria estar consertando o carro e não assistindo televisão", emitimos julgamento sobre coisas que, na verdade, não passam de percepções arbitrárias. Comunicar-se dessa maneira não raro produz ressentimento, porque falamos coisas que estão além de nosso conhecimento e, em muitos casos, agimos como se fôssemos Deus e soubéssemos exatamente o que o outro deveria fazer.

As declarações em primeira pessoa, ao contrário disso, descrevem as próprias experiências, aquilo que sentimos, pensamos, desejamos ou fazemos: "Estou cansado", "Acho que você tem razão", "Gostaria de ir ao *shopping* hoje à noite". São expressões que revelam algo sobre quem você é naquele instante. Ao nos comunicarmos com nosso cônjuge, as declarações em primeira pessoa são sempre melhores do que as formuladas em segunda pessoa.

Outra armadilha na comunicação são as declarações na terceira pessoa do plural (eles), que tendem a ser relativistas e generalizantes. Por exemplo: "Dizem que num bom relacionamento ambos devem ganhar seu próprio dinheiro", "Falam que é prejudicial a sogra morar com o casal", "Muita gente acha que não é necessário ficar duas horas na loja para comprar sapatos", "Dizem que as mulheres são mais emotivas do que os homens". Nessas declarações, o sujeito não se responsabiliza pelo conteúdo. Não está claro se concorda ou não com a afirmação, embora pareça exprimir certa concordância. Falar por si mesmo é melhor do que citar o que os "outros" dizem.

Revelar experiências

Revelamos nossas experiências quando descrevemos o que vemos, ouvimos, tocamos, provamos ou cheiramos. Damos a nosso cônjuge o privilégio de participar de nossa experiência sensorial. Revelamos a fonte de onde extraímos interpretações e compartilhamos nossas experiências sensoriais relacionadas com o comportamento da outra pessoa. Por exemplo, Mary decide compartilhar com Bill: "Sábado à noite, enquanto comprávamos sapatos para o Bob, percebi que você balançava a cabeça enquanto preenchia o cheque. Isso me levou à conclusão de que você achou caro o preço dos sapatos. Estou certa?". Essa declaração dará a Bill a oportunidade de confirmar a conclusão da esposa ou explicar os motivos de seu comportamento. Além disso, fornece a ele detalhes sobre o processo de interpretação sensorial que levou sua esposa a essa conclusão.

Um marido poderia dizer à esposa:

— Ontem à noite ouvi você dizer à sra. Foster que vai vê-la na próxima semana. Você está participando de algum grupo de estudo bíblico ou algo assim?

— Não. Eu geralmente a vejo no treino de futebol do Robby. O filho dela, Jamie, faz parte do mesmo time.

— Percebi que você ficou incomodada com os comentários dela sobre questões espirituais. Foi isso mesmo?

— Sim. Ela me pareceu um tanto agressiva e dogmática. Acho que a ideia dela de que os mortos se tornam anjos não é uma doutrina bíblica.

Observe que no diálogo acima o casal utilizou um discurso em primeira pessoa, ou seja, eles estão compartilhando seus sentimentos e suas ideias. Essa conversa provavelmente seguirá um rumo positivo, contanto que ambos continuem a falar por si mesmos e não pelos outros ou pela sra. Foster.

Quando compartilhamos nossas experiências sensoriais, geralmente falamos sobre *nossas* interpretações dessas experiências. Por exemplo, Arthur diz para Jenna: "Quando saí de casa hoje pela manhã, notei que você sorriu para mim. Isso significa que você me perdoou por eu ter chegado tarde ontem à noite?". Ao comentar sobre o comportamento da esposa (o sorriso), Arthur fornece pistas sobre o processo mental que o levou à conclusão de que talvez ela o tenha perdoado. Jenna, por sua vez, terá oportunidade de confirmar ou negar seu perdão.

Seu cônjuge entenderá melhor suas conclusões quando compreender como você interpreta suas experiências sensoriais. Talvez ele não concorde com suas conclusões, mas pelo menos conhecerá seu raciocínio.

Talvez a melhor maneira de compartilhar suas experiências seja por meio dos cinco sentidos: audição, visão, olfato, paladar e tato. Pratique suas observações completando as sentenças abaixo, e assim você desenvolverá a arte da autorrevelação: "Acho que ouvi você dizendo que...", "Quando cheguei em casa ontem, pensei ter visto você...", "Quanto entrei na cozinha e senti o cheiro de...", "Quando provei aquela sopa de cebola...", "Quando abracei você hoje à tarde...". Comece comentando suas percepções por meio dos cinco sentidos e depois compartilhe suas interpretações e conclusões.

Revelar interpretações

Alguns casais não estão acostumados a compartilhar suas interpretações das experiências sensoriais. Simplesmente tiram conclusões e agem de acordo. Essa atitude é responsável pela maioria dos mal-entendidos nas relações conjugais. Minha esposa não faz ideia dos motivos que me levam a agir de determinado modo porque não compreende como tiro conclusões sobre minhas observações.

As interpretações baseiam-se em nossa experiência limitada. Por isso, sempre devemos considerar nossas conclusões provisórias até verificarmos todas as informações com nosso cônjuge. Essas informações adicionais podem esclarecer as conclusões. Por exemplo, Brenda diz a Rod:

— Enquanto conversávamos durante o jantar, notei que você estava com sono e senti que não se interessou pelo que eu disse. Estou certa?

— Não, querida, não é isso. Eu estava interessado na conversa. É que ontem não dormi direito e passei o dia inteiro cansado.

Nunca devemos supor que nossas conclusões são exatas; antes, precisamos dar ao cônjuge oportunidade para esclarecê-las. O mais importante é revelar nossos pensamentos ao outro.

Se Brenda não tivesse compartilhado sua interpretação quanto ao comportamento de Rod, o resultado poderia ser totalmente diferente. Brenda observa a conduta do marido (sonolento durante o jantar), tira suas conclusões (ele não estava interessado no que eu disse) e simplesmente abandona a conversa, provavelmente demonstrando frieza ou indiferença pelo resto da noite ou até mesmo por vários dias. Rod observa o comportamento da esposa, mas desconhece os motivos. A partir disso, ele também poderia tirar suas próprias conclusões, provavelmente sentindo-se rejeitado e agindo da mesma forma que a esposa, talvez até com mais intensidade. Todo esse mal-entendido pode ser evitado, assim como a mágoa resultante, se tomarmos como modelo o primeiro diálogo, no qual o casal compartilha seus pensamentos e pede esclarecimentos. Muitos desses conflitos no casamento podem ser evitados por meio da prática de compartilhar nossas interpretações das experiências e de conceder ao cônjuge oportunidade para elucidá-las.

É importante lembrarmos de utilizar as declarações em primeira pessoa quando formos compartilhar nossas interpretações. Estamos apenas fornecendo informações sobre nossa maneira de pensar. Por exemplo, Jan diz ao marido: "Acho que você vai gostar dessa peça shakespeariana. Falei com Bonnie hoje à tarde. Ela assistiu à peça ontem à noite e me disse que...". Jan está expressando suas interpretações e formulando-as por meio de declarações em primeira pessoa. Ela diz: "Eu acho que você vai gostar", e não: "Você vai gostar".

Revelar sentimentos

A maior parte de nossos sentimentos está ligada a experiências passadas e presentes. Na próxima vez que se sentir decepcionado, pergunte-se o que estimulou esse sentimento. Você provavelmente descobrirá que essa decepção está diretamente ligada ao comportamento de alguém, talvez de seu cônjuge ou até de si próprio.

Suponha que você queira sair para caminhar com seu cônjuge após o jantar e tenha mencionado isso no dia anterior. No entanto, ele chega em casa duas horas mais tarde do que o combinado, e a atividade torna-se impraticável. Se você não dividir seus sentimentos com o cônjuge, provavelmente isso se refletirá em seu comportamento; mas ele não saberá as razões que levaram você a agir daquela forma. Contudo, quando você compartilha suas experiências e os sentimentos decorrentes, seu cônjuge percebe com maior clareza qual é sua condição emocional naquele momento e pode agir de modo adequado.

A essa altura, é importante distinguirmos entre agir de acordo com os sentimentos e compartilhar esses sentimentos. Sem dúvida, não precisamos ser controlados por nossas emoções. Os sentimentos representam apenas um aspecto de nosso comportamento. Porém, como somos influenciados pelas emoções, seremos mais bem compreendidos se compartilharmos esses sentimentos. Por exemplo, você pode dizer ao seu cônjuge que se sente feliz por ter um bom professor para seu filho, ou que está desanimado com as aulas de espanhol. Lembre-se de usar declarações em primeira pessoa quando estiver falando de si mesmo: "Gostei muito de irmos juntos à praia" é melhor do que: "A gente se divertiu muito na praia".

Algumas pessoas cresceram sem dividir seus sentimentos e, por essa razão, têm muita dificuldade em expor suas emoções. Contudo, os sentimentos são parte de nossa natureza. Se não compartilhamos nossos sentimentos, impedimos o cônjuge de conhecer uma parte de quem somos.

Revelar desejos

Outra fonte de mal-entendidos e frustrações no casamento é a falha em compartilhar desejos de forma positiva e apropriada. Esperar que o cônjuge satisfaça desejos não comunicados é querer algo impossível e que inevitavelmente gera decepções. Mas, se expressarmos esses anseios ao cônjuge, pelo menos ele poderá escolher entre tentar satisfazer nossos desejos ou se recusar a fazê-lo.

Conheci pessoas que durante anos alimentaram expectativas de como gostariam de celebrar o aniversário de casamento, porém nunca compartilharam essas aspirações com o cônjuge. Esperavam, ano após ano, que o outro percebesse e o surpreendesse. Espero que essas pessoas tenham muitos anos de vida pela frente, porque esse tipo de coisa só acontece uma vez a cada cem anos. Seria mais sensato compartilhar nossos desejos de maneira simples e clara para que nosso cônjuge saiba exatamente o que nos agrada.

Informar nossos desejos ao cônjuge é uma parte vital da autorrevelação. Por exemplo, expressões como "Quero que...", "Gostaria de...", "O que realmente me faria feliz é..." são declarações que comunicam desejos. Observe que essas declarações, embora revelem informações, e algumas vezes pedidos, nunca trazem exigências. Por exemplo, se digo à minha esposa que gostaria de passar um fim de semana nas montanhas, estou lhe comunicando uma informação. Também poderia acrescentar um pedido: "Que tal irmos no terceiro fim de semana de agosto?". Podemos compartilhar uma informação e uma solicitação ao mesmo tempo: "Querida, quando você tiver um tempinho, quero lhe contar algo que aconteceu comigo no trabalho hoje".

Lembre-se, é muito fácil cair no hábito de falar pela outra pessoa. Por isso, evite frases como: "Você não deveria fazer isso hoje porque a Melissa está ensaiando". Seria melhor dizer: "Eu gostaria que você não fizesse isso hoje porque acho que vai atrapalhar o ensaio da Melissa". Quando expressamos nossos desejos um ao outro, temos liberdade para escolher a melhor maneira de agir.

No entanto, não devemos tentar manipular o cônjuge. "Você não acha que está muito tarde para ir ao *shopping* hoje à noite?" é uma declaração manipuladora. Uma alternativa melhor seria: "Não quero ir ao *shopping* hoje à noite. Acho que está muito tarde". Nossa responsabilidade não é controlar as decisões do cônjuge, mas comunicar nosso desejo.

Revelar comportamentos

Por que é necessário comunicarmos ao cônjuge as razões de nosso comportamento? Será que ele não pode simplesmente observar o que estamos fazendo? Sim e não. Embora minha esposa observe meu comportamento, talvez não saiba os motivos. Vamos supor que durante uma de nossas conversas ela perceba que estou bocejando, mas não sabe que um remédio para dor de cabeça que tomei duas horas atrás agora está me dando sono. Tenho certeza que ela compreenderá se eu disser: "Querida, desculpe ter bocejado. Tomei um comprimido para dor de cabeça algumas horas atrás e agora está me dando sono. Isso não quer dizer que perdi o interesse no que você diz".

Relatar sobre nosso comportamento é algo que talvez envolva o passado, o presente e o futuro. Compartilhar coisas que pretendemos realizar no futuro pode dar ao cônjuge indicações sobre como nos comportaremos até lá. Por exemplo, se um marido disser que planeja lavar o carro assim que voltar do jogo de futebol, sua esposa saberá exatamente o que esperar das atitudes dele ao chegar em casa. A maioria das esposas aprecia muito receber esse tipo de informação. Em primeiro lugar, comunicar nossas intenções futuras ao cônjuge é uma forma de dizer que nos importamos com ele. Segundo, concedemos ao cônjuge a oportunidade de reagir ao que planejamos. E, terceiro, é um modo de ajudar o cônjuge a organizar sua vida e evitar surpresas desagradáveis às quais teria de se adaptar.

Hoje pela manhã eu disse à minha esposa que iria passar a manhã toda trabalhando no jardim e à tarde escreveria um pouco. Perguntei o que achava da ideia. Ela achou o máximo (qualquer minuto gasto no jardim a deixa muito feliz) e também compartilhou seus planos. Ambos concordamos e iniciamos o dia com uma sensação de harmonia, mesmo passando a maior parte do tempo separados. A decisão de informar nossos desejos futuros e permitir que o cônjuge participe é um grande avanço na construção de intimidade no relacionamento.

Compartilhar comportamentos passados também pode ser para o cônjuge um sinal de amor e interesse. Digamos que vocês dois concordem em mudar a decoração do quarto no próximo mês, até mesmo comprando móveis novos, e que cada um começará a estudar a viabilidade do projeto. Duas semanas mais tarde, ambos já têm ideia do que desejam, porém ainda não compartilharam seus planos, causando em um de vocês, ou em ambos, a impressão de que o outro não está interessado no projeto. Esse mal-entendido pode ser evitado pela troca de informações: "Hoje passei numa loja de móveis e vi uma cama muito boa por um preço melhor ainda. Gostaria que você fosse comigo para dar uma olhada". Agindo assim, seu cônjuge perceberá seu interesse no projeto e se sentirá bem ao saber disso.

Em outro exemplo, suponha que seu cônjuge lhe diga: "Tentei ligar antes de sair do escritório, mas só deu ocupado. Desculpe não ter conseguido falar com você". Provavelmente você se sentirá bem ao saber que houve uma tentativa de contato (a menos, claro, que interprete essa declaração como uma crítica ao fato de você passar tanto tempo ao telefone). Quem sabe, aproveitando que está lendo este capítulo, seria um bom momento para você compartilhar suas interpretações e dar a seu cônjuge a oportunidade de esclarecê-las.

Compartilhar nosso comportamento presente talvez seja a última coisa que estamos dispostos a fazer, pois a maioria presume que o outro nos observa e, portanto, não há necessidade de verbalizar. Entretanto, descobri que o casal que aprende a compartilhar suas atitudes em tempo real, especialmente as negativas, melhora de forma significa o ambiente de comunicação. "Puxa, querida, deixei você falando sozinha há pouco, quando saí do quarto. Foi bobagem minha, me perdoe; estou tentando eliminar esse péssimo hábito. Na verdade, estou muito interessado no que você está dizendo. Por favor, continue." Para alguns casais, uma declaração nesses termos alteraria radicalmente o relacionamento.

Você também pode dizer: "Estava falando alto com você, me desculpe". Desse modo, seu cônjuge saberá que você tem consciência de seu próprio comportamento inadequado e que está preocupado com o efeito dele. Até então, a única opção que restava a seu cônjuge era observar suas atitudes, pois ele não sabia que você estava consciente do problema e muito menos como o interpretava.

Suponha que seu marido entre no quarto e a veja chorando. Ele não tem ideia do motivo, mas se disser que o choro não tem nada a ver com ele, e sim com o fato de você sentir saudades de sua mãe e ficar triste ao pensar que nunca mais conseguirá falar com ela, estará fornecendo a seu marido informações preciosas e concedendo-lhe a oportunidade de participar, abraçando-a e confortando-a com palavras carinhosas. Se você fizer isso, ele não precisará adivinhar a razão de seu pranto ou ficar imaginando se foi ele quem agiu errado e fez você chorar. Reconhecer nossas atitudes e explicar os motivos que nos levaram a agir de determinada maneira é o caminho que conduz à intimidade e compreensão.

Numa conversa conjugal é raro compartilharmos os cinco aspectos da autocompreensão de uma vez, embora às vezes apareçam dois ou três. Por exemplo, posso dizer que estou contente com a decisão de comprarmos um fogão novo (sentimento) e que gostaria de comprá-lo neste final de semana (desejo), pois meu tempo durante a semana está escasso (interpretação). Em outro exemplo, chego em casa após o trabalho, vejo a lavanderia alagada (experiência sensorial) e penso que talvez a máquina de lavar esteja quebrada (interpretação). Estou muito cansado e não quero verificar isso hoje (sentimento), porém sei que não posso esperar até amanhã. Portanto, decido trocar de roupa e ver o que pode ser feito para sanar o problema (comportamento).

Essas declarações dão ao cônjuge a oportunidade de participar de nossas experiências e entender como as interpretamos, livrando o relacionamento das suposições. Ao sermos honestos sobre como experimentamos e interpretamos a vida, não precisamos mais ficar tentando adivinhar o que se passa na mente do outro, ou porque está agindo de tal forma. Esse tipo de autocompreensão e autorrevelação enriquecem muito o relacionamento conjugal.

Procure praticar a autorrevelação diariamente por meio da elaboração de sentenças como "Notei que...", "Interpretei tal coisa como...", "Portanto, senti que...", "Gostaria de...", "Acho que deveria...". A prática lhe permitirá compartilhar com seu cônjuge de uma forma cada vez mais espontânea. Talvez seja necessário um esforço de sua parte, mas a recompensa proporcionada pela autorrevelação compensa o trabalho. No capítulo 11, falaremos sobre o potencial que você tem para o crescimento.

Questões para refletir

1. Se nem todas as declarações em segunda pessoa (tu/você) são condenatórias, porque esse tipo de declaração acaba sendo uma barreira para o entendimento mútuo?

2. Faça um contraponto entre agir com base nos sentimentos *versus* compartilhar os sentimentos.
3. Qual o sentido de compartilhar comportamentos passados, presentes e futuros com nosso cônjuge?

Aceitamos

Lembre-se de que não é nossa responsabilidade controlar as decisões do cônjuge; é nossa responsabilidade deixá-lo a par de nossos desejos. Pratique a autorrevelação ao completar as seguintes frases pelo menos uma vez ao dia:

- "Notei que..."
- "Interpretei tal coisa..."
- "Portanto, senti que..."
- "Gostaria de..."
- "Acho que deveria..."

11
Preparação para o crescimento: prioridades e objetivos

O tempo passa, as coisas mudam, mas a pergunta que importa é: "Estamos crescendo?". Há uma grande diferença entre mudar e crescer: as mudanças são aleatórias, porém o crescimento é direcionado, tem propósitos, move-se para um objetivo. Quando planto uma horta, meu objetivo não é ter plantas de boa aparência, mas que produzam tomates, pepinos e abóboras. De maneira semelhante, o casamento não é apenas viver sob o mesmo teto e dar aos outros a impressão de que "fomos feitos um para o outro". O objetivo é alcançar um relacionamento íntimo no qual estimulamos um ao outro a ser tudo aquilo que Deus deseja que sejamos. Para que esse crescimento aconteça, é necessário estabelecer prioridades e objetivos bem definidos.

O cristão deve certificar-se de que suas prioridades estão de acordo com as prioridades de Deus. Meus valores são os valores de Deus? O que é importante para mim também é importante para Deus? Minhas visões sobre a vida estão em harmonia com as visões de Deus? Para sermos vitoriosos, precisamos ajustar nossas prioridades às de Deus.

Prioridade é tudo aquilo que acreditamos ser importante, aquelas coisas que consideramos essenciais na vida. E quais são as coisas que os cristãos, tradicionalmente, consideram mais importantes? A maioria dos cristãos concorda que a prioridade número um é nosso relacionamento e nossa comunhão com Deus. Nada é mais importante do que isso. Na verdade, nosso relacionamento com Deus influencia o restante de nossas prioridades. Se Deus é o autor da vida, então o primeiro e mais importante passo para compreendermos a vida é conhecê-lo (Jo 17.3). Se Deus comunicou-se conosco, então ouvir sua voz é absolutamente necessário (Mt 11.15). Se ele nos ama, então nada nos trará mais alegria do que corresponder a seu amor (1Jo 4.19). Àqueles que parecem se preocupar apenas em adquirir roupas, comida e abrigo, Jesus ensina: "Seu Pai celestial já sabe do que vocês precisam. Busquem, em primeiro lugar, o reino de Deus e a sua justiça, e todas essas coisas lhes serão dadas" (Mt 6.32-33). Observe, portanto, que a questão não é simplesmente ter um relacionamento com Deus, mas empenhar-se em buscar seu reino e sua justiça. É passar tempo em comunhão com Deus e adquirir as perspectivas dele para a vida.

A família é outra prioridade para a maioria dos cristãos. Acreditamos que Deus estabeleceu o casamento e a família como fundamentos da sociedade, o que torna a família uma unidade social imensamente importante. Dentro do relacionamento familiar, percebemos que a relação conjugal é mais fundamental do que a relação entre pais e filhos, pois o casamento é uma união íntima para a vida toda, ao passo que os filhos deixarão os pais para formar suas próprias relações conjugais. A qualidade do relacionamento conjugal também é importante porque influencia profundamente a relação entre pais e filhos.

Uma terceira prioridade para a maioria dos cristãos é a profissão. Talvez alguns não a considerem uma prioridade isolada, uma vez que não é possível alguém se relacionar com sua família sem provê-la de cuidados financeiros (1Tm 5.8).

Contudo, como as prioridades estão inter-relacionadas, essa análise pode ser aplicada a qualquer rol de prioridades. Escolhi colocar a profissão como uma prioridade à parte porque ela toma grande parte de nosso tempo. As Escrituras também salientam a importância do trabalho (Gn 1.28; 2Ts 3.10). Como existe bastante tensão entre a vida familiar e a profissão, aprender a equilibrar essas duas prioridades requer diligência.

A maioria dos cristãos também elegeria o ministério na igreja como uma das prioridades. Aqui, novamente, alguns pensarão que a vida e o serviço na igreja não estão separados da prioridade principal: nosso relacionamento com Deus. Assim como em todas as áreas da vida, nosso ministério na igreja é resultado de nosso relacionamento com Deus (Mt 28.18-20; Hb 10.24-25). A igreja representa o contexto onde servimos a Deus e fazemos isso porque o amamos e o conhecemos. Deus concedeu dons espirituais a cada cristão com a intenção de que os usássemos para melhorar a vida de outros cristãos e atrair não cristãos para Cristo (Mt 4.10; 1Co 12.4-30; Hb 9.14).

Por acreditar que somos feitos à imagem de Deus (Gn 1.27) e que nosso corpo é templo do Espírito Santo (1Co 6.19-20), a maioria dos cristãos concordaria que um dos itens dessa lista de prioridades seria cuidar de nosso bem-estar físico, emocional e espiritual. Jesus nos disse que devemos amar o próximo como a nós mesmos (Mc 12.31). O cristão que não dispensa cuidados adequados a suas próprias necessidades não terá condições de servir e amar seu próximo.

Não estou sugerindo aos cristãos que essas cinco prioridades representam uma lista exaustiva. Outras prioridades podem incluir esportes, educação, relações sociais, atividades políticas e assim por diante. O importante é que o casal estabeleça suas prioridades e consiga enunciá-las com clareza. O que é importante para vocês? Quais são as cinco ou dez coisas que acreditam ser fundamentais? Não alcançaremos nossos objetivos sem antes estabelecermos quais são.

O que farão os cônjuges ao descobrir que discordam das prioridades um do outro? Por exemplo, um marido pode considerar que sua profissão é mais importante do que passar tempo com a família. Nesse momento de sua vida ele considera que todo seu tempo e esforços devem ser investidos em "chegar lá". Sua família fica em segundo plano até ele alcançar seus objetivos profissionais. Isso pode ser declarado explicitamente pelo marido ou talvez só apareça quando ele apresentar sua lista de prioridades. A simples observação de seu modo de vida parece indicar que a profissão dele tem prioridade sobre a família.

Se houver discordâncias, cabe primeiramente nos lembrarmos de que não devemos obrigar o outro a aceitar nossas prioridades, nem mesmo nosso cônjuge. O caminho não é forçar o outro, por meio de argumentação, a pensar como nós. Se realmente há divergências de prioridades, devemos reconhecê-las e procurar conciliá-las visando alcançarmos o máximo possível de nossos objetivos.

Tradicionalmente, os cristãos colocam suas prioridades na seguinte ordem: (1) Deus, (2) família, (3) profissão, (4) igreja, (5) aprimoramento pessoal e (6) outras atividades e relacionamentos. No entanto, alguns cristãos não concordam com essa sequência. Anos atrás um amigo me mostrou a ilustração de uma mão humana que achei muito interessante. O polegar representa meu relacionamento e minha comunhão com Deus e os outros dedos representam minhas quatro prioridades restantes. Assim como o polegar interage com os quatro dedos, da mesma forma meu relacionamento com Deus influencia as outras prioridades. À medida que compreendo a Deus e aprofundo minha intimidade com ele, torno-me mais eficaz no cumprimento de minhas prioridades quanto à família, profissão, ministério e bem-estar pessoal. Recebo de Deus não apenas sabedoria, mas também capacidade para alcançar os outros objetivos.

Sob o senhorio de Cristo, e seja qual for o dia, posso empregar a maior parte do meu tempo e energia em qualquer uma das quatro prioridades. Por exemplo, se o dedo indicador representa "bem-estar pessoal" e hoje fico doente, então a maior parte do meu tempo será usada com médicos e tratamento. Isso não torna o bem-estar pessoal mais importante do que a família ou a profissão. Apenas mostra a realidade de um dia específico, sob a orientação do Espírito Santo, em que precisei investir tempo e esforço para cuidar de mim mesmo.

O polegar, representando Deus, interage com os outros dedos que indicam outras prioridades. Se minha comunhão com Deus estiver firme, posso confiar nele para conduzir minhas prioridades em determinado dia ou circunstância. Por exemplo, se o casamento e a família são minhas prioridades e hoje estou comemorando meu aniversário de casamento, provavelmente Deus vai querer que eu dedique quantidades expressivas de tempo e energia na celebração desse acontecimento. Quando pensamos em prioridades nesses termos, fica óbvio que a comunhão com Deus se torna extraordinariamente importante, pois influencia a quantidade de atenção que dispensamos às outras prioridades na vida. Despender tempo para identificar essas prioridades pode melhorar tanto a comunicação como a intimidade.

Paul, alguém que conheci num congresso em Chicago, me disse: "Quando minha esposa e eu nos sentamos para escrever nossas dez prioridades de vida, fiquei espantado com a semelhança entre as listas. Havia algum tempo vínhamos brigando por coisas pequenas e começando a sentir que éramos incompatíveis. Concentrar nossa atenção nas prioridades nos trouxe de volta aos pontos fundamentais e nos ajudou a perceber o que era realmente importante". Paul e sua esposa, Beverly, passaram pela experiência enriquecedora de esforçar-se intencionalmente para identificar prioridades.

Estabelecer objetivos

Nossas prioridades são estabelecidas em categorias gerais e indicam as coisas que consideramos mais importantes na vida. Os objetivos, por sua vez, representam o caminho que percorremos para alcançar essas prioridades. Por exemplo, porque considero minha comunhão com Deus a coisa mais importante, e por acreditar que isso afeta minha qualidade de vida em todas as outras áreas, estabeleci como objetivo ter um tempo diário de quietude com Deus. Esse momento de silêncio é uma atividade que melhorará minha comunhão com Deus, mantendo-a viva e saudável. Por essa razão, é um de meus objetivos. Outro objetivo nessa área é frequentar o culto nos finais de semana, quando louvo a Deus e ouço sua Palavra com aplicações práticas. Observe que ambos os objetivos são mensuráveis, isto é, posso determinar facilmente se os estou cumprindo ou não, o que é exatamente a característica de um objetivo.

Se uma de minhas prioridades for desenvolver o relacionamento familiar, então meus objetivos se tornam declarações específicas de coisas que me ajudarão a desenvolver bons relacionamentos familiares. A lista a seguir pode nos ajudar:

1. Férias em família pelo menos uma vez ao ano.
2. Períodos devocionais diários com a família.
3. Orar com cada filho antes de colocá-los para dormir.
4. Distribuir responsabilidades a cada membro da família, de acordo com a idade.
5. Reunir a família uma vez por semana para compartilhar necessidades e resolver conflitos internos.

Poderíamos adicionar ainda outros quinze ou vinte objetivos semelhantes que ajudariam a desenvolver bons relacionamentos familiares. Observe que cada objetivo acima é específico o suficiente para determinarmos se está sendo cumprido ou não. Por exemplo, a frase: "Gostaria que todos em minha família se entendessem melhor" não é um objetivo bem definido. Como saber se o relacionamento está melhorando ou não? Objetivos devem ser mensuráveis e atingíveis, do contrário se tornam apenas sonhos.

Estabelecer e alcançar objetivos é um procedimento padrão na maioria das profissões. Estamos familiarizados com o conceito e fazemos isso regularmente. No entanto, muitos nunca estabeleceram objetivos para o relacionamento conjugal. Se desenvolver intimidade é uma de nossas prioridades, então a maneira mais eficaz de alcançar esse objetivo é traçar metas realistas e mensuráveis. Nesse sentido, o casal precisa responder a algumas questões.

- O que melhoraria nosso relacionamento conjugal?
- O que gostaríamos que acontecesse em nosso casamento?
- Quais atividades trariam mais ânimo para o casamento?
- Seria bom estabelecer um momento diário para conversarmos?

- Com que frequência gostaríamos de sair para jantar? Fazer sexo? Viajar ou caminhar no parque?

Responder a perguntas como essas nos ajudará a estabelecer objetivos claros, eliminando ideias vagas que atrapalham o alcance de nossas prioridades. Estabelecer metas é algo que nos tira da esfera da vontade ("gostaria de ter um bom casamento") e nos leva a dar passos concretos para a conquista de um bom casamento.

Talvez vocês descubram que têm dificuldades em concordar sobre determinados objetivos. Por exemplo, seu cônjuge deseja que todos os dias vocês tirem um tempo para conversar. Entretanto, você considera isso impraticável e sugere que um objetivo mais realista seria três ou quatro vezes por semana. Nesse caso, é importante ouvir o que o outro tem a dizer e estar disposto a negociar. Lembre-se que *algum* progresso é melhor do que *nenhum*. De modo geral, começamos o processo de crescimento conjugal com passos pequenos, para depois darmos passos maiores.

Pessoas muito organizadas, altamente motivadas e perfeccionistas muitas vezes partem para o tudo ou nada. Elas querem tudo funcionando corretamente, como manda o figurino. Em busca do "casamento perfeito", têm dificuldade para aceitar qualquer coisa abaixo de 100%. Na verdade, a maior parte do crescimento ocorre aos poucos. Criaremos um ambiente de crescimento mais sadio se elogiarmos os avanços pequenos que nosso cônjuge está disposto a fazer, em vez de criticá-lo por não ter feito mais. Ninguém gosta de ser criticado, e todos apreciam um elogio genuíno. É melhor estabelecermos um objetivo pequeno e realista, alegrando-nos com sua conquista, do que fixar uma meta ambiciosa e sentir que fracassamos porque não conseguimos alcançá-la.

Quando um objetivo não é comunicado e existe apenas na mente de um dos cônjuges, isso cria conflitos e decepções; um trabalha para alcançar o objetivo enquanto o outro está totalmente alheio, só percebendo as exigências do cônjuge. Quando concordamos que um objetivo é digno de nosso tempo e energia, aumentamos a probabilidade de conquistá-lo. É bastante provável que vocês nunca tenham conversado sobre a frequência com que gostariam de fazer sexo. Cada um tem seu objetivo, mas se ele não for compartilhado e consentido mutuamente, será uma fonte de conflito. Caso compartilhem seus objetivos pessoais e não consigam chegar a um acordo, então é possível negociar. Um objetivo consentido, mesmo que não seja com a frequência desejada, é um passo na direção certa.

Não há como minimizar a importância de estabelecer objetivos. Ao olhar para trás, provavelmente você perceberá que muitas de suas realizações foram alcançadas por meio de objetivos estabelecidos. Talvez você não os tenha formulado por escrito, mas em sua mente eram objetivos claros e você batalhou para que se realizassem. Os casamentos que experimentam os graus mais altos de intimidade são aqueles em que o casal definiu objetivos específicos, realistas e mensuráveis, e trabalhou para que fossem alcançados. Descrever nossos objetivos com clareza é uma forma de caminhar em direção ao alvo.

Estabelecer metas é algo que ajuda o casal a estar sintonizado e trabalhar em harmonia. Conheci Kathy num congresso para casais em Sioux City, Iowa, onde falei sobre as "cinco linguagens do amor". Ela identificou sua linguagem principal com o tempo de qualidade, pois se sentia amada por seu marido quando passavam tempo dedicando total atenção um ao outro. Ao final da palestra ela me disse: "Minha vida mudou quando meu marido e eu colocamos como objetivo caminhar juntos toda quinta-feira após o jantar. Foi como se tivéssemos voltado aos tempos de namoro. Antes disso, eu vinha começando a pensar que não era mais importante para ele. Quando o convidava para caminhar, ele geralmente dizia que tinha outra coisa para fazer e isso me deixava com um sentimento de rejeição. Agora ele marca no calendário os dias que saímos para caminhar. Em três meses deixamos de sair apenas uma vez, e isso porque ele ficou doente. Não acho que essa caminhada seja tão importante para ele quanto é para mim. Mas é exatamente isso o que me faz sentir tão bem: ele está disposto a me agradar para eu me sentir amada". Kathy e seu marido, Bob, estão colhendo os benefícios de estabelecer metas.

***

Determinar prioridades e delinear objetivos realistas são maneiras eficientes de estimular o desenvolvimento matrimonial. Mesmo que você não estabeleça prioridades e objetivos, certamente seu casamento continuará mudando com o passar do tempo, mas haverá pouco crescimento conjugal.

    Aconselho a estabelecerem uma sessão de planejamento semanal em que ambos definam de cinco a dez prioridades de vida. Depois disso, pelas próximas cinco a dez semanas, façam sessões semanais para concentrarem-se em objetivos realistas que estejam relacionados ao cumprimento dessas prioridades. Um casal com um plano delineado alcançará maior crescimento conjugal do que o casal que apenas segue a maré da vida. Como diz o adágio popular: "Quem não sabe para onde vai, não chega a lugar nenhum".

    Se estiver pensando que não tem tempo para planejar uma sessão semanal, então o próximo capítulo foi feito especialmente para você.

Questões para refletir

1. Qual a diferença entre mudança e crescimento? De que forma isso afeta um casamento?
2. Individualmente, faça uma lista de suas dez prioridades.
3. Faça uma lista com objetivos realistas para as três primeiras prioridades.
4. Cite algo que você fez esta semana para incentivar seu cônjuge (verbalmente ou não).

Aceitamos

Se você se sente confortável em compartilhar sua lista de prioridades com seu cônjuge, faça isso, incluindo os objetivos que estabeleceu para as três primeiras prioridades. Se uma das prioridades que estabeleceu foi o casamento, e ela está entre as três primeiras, fale sobre os objetivos que estabeleceu e o motivo.

Se o casamento não está entre as três primeiras prioridades (ou nem mesmo entre as dez), tire um momento para estabelecer alguns objetivos ao responder individualmente a estas perguntas:

- O que melhoraria nosso relacionamento conjugal?
- O que gostaríamos que acontecesse em nosso casamento?
- Quais atividades trariam mais ânimo para o casamento?
- Seria bom estabelecer um momento diário para conversarmos?
- Com que frequência gostaríamos de sair para jantar? Fazer sexo? Viajar ou caminhar no parque?

Revise suas respostas com seu cônjuge. Determinem juntos seus objetivos usando declarações em primeira pessoa, como "Gostaria de...", "Queria que pudéssemos...". Pense em objetivos para a próxima semana, para o próximo mês, para o próximo ano, para os próximos cinco anos. Reservem tempo para ouvir verdadeiramente um ao outro em vez de ficar pensando em sua resposta. Coloque esses objetivos em um lugar seguro, para conferi-los.

12
Reservar tempo para as coisas importantes

Será que Deus não sabia o quanto nos tornaríamos ocupados? Se soubesse, teria nos dado mais do que apenas 24 horas; ou será que estamos tentando fazer mais do que ele queria que fizéssemos? Certa noite, quando minha esposa e eu voltávamos para casa às 23h45, depois de um acampamento de jovens da igreja, comentei com ela: "Sabe, acho que Jesus não andava tão atarefado como nós". Quando leio os Evangelhos, vejo Jesus em atividade, mas não apressado, fazendo o bem, mas não sobrecarregado. Tenho esse pensamento recorrente de que talvez Jesus andasse num compasso diferente. Será que somos mais influenciados por nossa cultura do que por Cristo e trocamos as atividades pelas realizações? Houve uma época em que as pessoas tinham tempo para se visitar, as famílias faziam as refeições juntas, sentavam-se juntas na igreja e, quando os amigos morriam, havia tempo para ir ao funeral.

Naturalmente, isso foi antes dos "poupadores de tempo": máquinas de lavar e de secar, portões automáticos, micro-ondas, computadores, abridores elétricos, fogões com dois fornos, máquinas de costura, controles remotos, secretárias eletrônicas e outras coisas, tudo com o objetivo de poupar nosso tempo. Irônico, não acha? E o que fazemos com todo o tempo que economizamos? Alguns sociólogos acreditam que a tecnologia avançada favoreceu o individualismo e o isolamento, pois passamos a nos esforçar para nos tornarmos indivíduos bem-sucedidos, mas deixamos de lado a ideia de nos tornarmos famílias bem-sucedidas.

Como cristãos, sabemos que o significado supremo da vida se encontra no relacionamento: primeiro com Deus, e depois com as pessoas. Entre os seres humanos, o casamento foi planejado por Deus para ser o mais íntimo dos relacionamentos. A relação entre pais e filhos vem em segundo lugar. Contudo, algumas pessoas ainda buscam atividades que têm pouco a contribuir para o relacionamento conjugal e familiar. De vez em quando sentimos algum tipo de culpa, porém não o suficiente para sairmos desse círculo vicioso. Se você sente o estresse da falta de tempo, e todos nós sentimos em alguma medida, então peço que continue a ler este capítulo com atenção.

Não há muito sentido em discutir gerenciamento de tempo se você ainda não decidiu aonde gostaria de chegar em seu casamento. Caso já tenha determinado que seu casamento é uma de suas prioridades e tenha estabelecido objetivos que gostaria de alcançar nesta semana, mês ou ano, então pode começar a reservar tempo para colocá-los em prática. Observe que eu disse "reservar tempo". Todas as pessoas dispõem da mesma quantidade diária de tempo: 1.440 minutos por dia. A forma como escolhemos gastá-los depende inteiramente de nós. Talvez você esteja pensando que isso é ilusório, que não é você que controla seu tempo, e sim as pessoas: seu chefe, seus filhos, sua igreja, seus vizinhos e até aquela torneira pingando. Concordo que a maior parte do nosso dia já está planejada. Contudo, esses compromissos são escolhas que fizemos no passado: você escolheu aceitar seu emprego atual com essa carga horária; você escolheu ter uma pia, ciente de que às vezes ela vaza e é preciso consertá-la por conta própria ou chamar um encanador.

Já ouviu alguém reclamar: "Sei que devo fazer isso, mas não encontro tempo"? Será que você mesmo já não disse isso? Será mesmo verdade que não temos tempo para fazer o que devemos? A palavra *dever* significa uma obrigação de natureza moral ou da consciência; um senso de responsabilidade. Será então que não temos tempo suficiente para cumprir nossas obrigações morais? Como cristãos, penso que a resposta é não.

Temos tempo para fazer tudo o que é nossa obrigação. Se não estamos cumprindo nosso *dever*, precisamos examinar a forma como usamos nosso tempo, pois certamente exercemos controle sobre ele. O principal empecilho para dispormos de tempo para nossos objetivos é nosso compromisso excessivo com atividades que não nos ajudam a alcançar esses objetivos. Gerenciar o tempo é simplesmente utilizá-lo para realizar aquelas coisas que acreditamos serem nosso dever, ou seja, nossas prioridades e objetivos.

A frase *gerenciar o tempo* indica que temos a responsabilidade de controlá-lo. Muitas vezes, temos a ilusão de que as circunstâncias e as pessoas controlam nosso tempo. Enquanto pensarmos dessa forma, nossos objetivos não serão cumpridos e nossas prioridades não passarão de sonhos abstratos. Somente quando controlarmos nosso tempo teremos condições de cumprir nossos objetivos, alcançar nossas prioridades e investir nossa vida naquilo que acreditamos ser importante.

Assim, você precisará de tempo para alcançar os objetivos que estipulou para seu casamento. Esse tempo precisa ser tirado dos 1.440 minutos que você tem por dia. Se tais objetivos são dignos e impulsionam a conquista daquilo que acredita ser importante em sua vida, então vale a pena o esforço de gerenciar seu tempo a fim de alcançar esses objetivos.

Analisar o uso do tempo presente

Sejamos práticos: se você realmente deseja alcançar os objetivos que estabeleceu, de quanto tempo precisará? Proponho que faça uma estimativa e coloque ao lado de cada objetivo. Por exemplo, quanto tempo deseja gastar por dia conversando com seu cônjuge?

A maneira mais fácil de encontrar tempo para alcançar novos objetivos é verificar seu tempo livre, isto é, o tempo que ainda não está reservado para outras atividades. Alguns casais dirão que é exatamente esse o problema, pois não dispõem de tempo livre. Isso nos leva de volta à minha primeira sugestão: *examine como você usa seu tempo*. Alguns não gostam muito de avaliar o tempo gasto com a carreira porque acham que se assemelha à forma como um supervisor nos avalia. Porém, não há ninguém nos observando quando avaliamos nosso tempo pessoal. Nesse caso, estamos apenas tentando perceber como gastamos nosso tempo a fim de decidirmos se é necessário fazer mudanças. Afinal, estamos falando de nossa vida. Quem gerencia nosso tempo somos nós; portanto, esse tipo de avaliação não deveria causar apreensão.

Uma forma de fazer isso é desenhar oito colunas numa folha de papel, escrevendo na primeira coluna as horas do dia (proponho iniciar a contagem a partir da meia-noite). Nas outras sete colunas, coloque os dias da semana, começando pelo domingo e terminando no sábado. Ao lado de cada hora e na coluna correspondente ao dia da semana, escreva o que geralmente faz nesse período. Como ponto de referência, comece pensando no que fez ontem, registrando os detalhes desde a hora que acordou até quando foi dormir. Após ter completado essa tarefa individualmente, compartilhe suas anotações com seu cônjuge. Se o objetivo é passar quinze minutos conversando um com o outro, verifique o melhor momento e, se for o caso, faça ajustes de forma a cumprir seu objetivo.

O primeiro passo para fazer as modificações necessárias é saber como usamos nosso tempo. Alguns terão mais facilidade para concluir esse estudo porque sua vida é mais organizada do que a de outros. Por exemplo, o trabalho e os compromissos diários de algumas pessoas são mais previsíveis e fáceis de gerenciar. Quem trabalha das 8 às 17 horas terá mais facilidade para listar o tempo dedicado ao trabalho do que aquele cujo horário profissional depende exclusivamente de si mesmo. No entanto, este último terá mais autonomia no sentido de separar um tempo para desfrutar a companhia do cônjuge durante o dia.

Decidir o que excluir

Quando perguntaram a um casal com seis filhos como eles conseguiam dar conta do recado, a resposta deles foi: "Não conseguimos". O fato é que ninguém consegue fazer tudo. Por isso, precisamos decidir, entre as muitas coisas boas, quais são as mais importantes.

Caso sua análise revele pouca disponibilidade de tempo, você terá mais dificuldade em alcançar os objetivos estabelecidos, pois precisará eliminar algo que esteja fazendo atualmente. Como temos uma predisposição ao hábito, nem sempre é fácil cortar atividades com as quais estamos acostumados. Porém, se nossas metas e nossas prioridades são coisas que "devemos fazer", sem dúvida encontraremos tempo para elas.

A pergunta principal ao decidir o que excluir é: quais atividades não estão contribuindo para o alcance das prioridades que estabelecemos? Se você puder responder a essa pergunta, então terá identificado as atividades que poderá eliminar. Talvez sejam coisas boas e até divertidas, mas se não ajudam a atingir seus objetivos de vida, será necessário tomar decisões firmes.

Quando alguns casais registram suas tarefas diárias e começam a procurar atividades que não os ajudam a alcançar os objetivos propostos, o culpado mais óbvio e comum é o tempo gasto diante da televisão. Para algumas pessoas, é muito difícil reduzir esse tempo. Sem consciência desse vício, muitos se sentem desconfortáveis e até mesmo aborrecidos com a possibilidade de gastar menos tempo vendo televisão. É importante, porém, reduzir atividades irrelevantes a fim de dedicarmos tempo àquelas que concordamos serem as mais significativas. A dor talvez seja real, mas os resultados serão gratificantes. Um relacionamento conjugal íntimo é, de longe, muito mais empolgante e recompensador do que qualquer programa de televisão. Não estou sugerindo que devemos eliminar totalmente essa atividade. Para alguns casais, assistir televisão é uma forma de aliviar a tensão depois de um dia extenuante no trabalho. Contudo, estaremos sacrificando o desenvolvimento de nosso casamento se usarmos todo nosso tempo livre dessa forma.

Às vezes fazemos isso simplesmente por força do hábito. Como não vemos muita novidade no casamento, passamos a gastar nosso tempo sentados diante da tela. Após algum tempo, ficamos tão amigos dos personagens que passamos a conhecê-los melhor do que nosso cônjuge. A fim de mudar esse padrão, teremos de analisar o que aconteceu, ter o desejo de aumentar a intimidade no casamento e disposição para realizar mudanças. Observe, contudo, que haverá pouco sucesso em mudar o hábito do cônjuge por meio da força. A decisão de ver menos televisão deve partir do indivíduo. Críticas e comentários negativos sobre os hábitos televisivos do cônjuge só servirão para aumentar a tensão entre o casal. Será mais produtivo aproveitar bem o tempo em que estiverem juntos do que criticar o outro porque você queria mais.

Talvez você descubra que se sobrecarregou com atividades boas, como as programações na igreja. Sua tarefa é decidir quais coisas boas deve eliminar para reservar mais tempo para as coisas melhores. Não saia cancelando os compromissos assumidos, pois isso seria irresponsável. A própria Bíblia afirma a importância de mantermos nossa palavra (Sl 15.4). Contudo, a maioria dos compromissos sociais e da igreja tem duração determinada. Por exemplo, você pode decidir não se reeleger para o cargo de presidente do clube de boas ações no próximo ano. Após o término de suas funções, pode usar esse tempo livre para se dedicar ao relacionamento conjugal. Compartilhar com o cônjuge sobre sua disposição de abrir mão de algumas atividades para passar mais tempo de qualidade com ele é um passo importante para criar um ambiente mais favorável no decorrer desse processo. A maioria dos cônjuges aceitará esperar por algo que promete melhorar o relacionamento conjugal.

Delegar responsabilidades

Alguns casais ganhariam mais tempo simplesmente delegando responsabilidades específicas aos filhos. Por exemplo, uma mãe não precisa recolher e lavar a roupa de cada membro da família. Se a criança tem altura suficiente para colocar suas roupas na máquina de lavar, provavelmente tem idade suficiente para manuseá-la. Nesse processo, não apenas ganhamos tempo, como também treinamos os filhos para assumirem responsabilidades. De maneira semelhante, os adolescentes podem aprender a cortar a grama e realizar outras tarefas domésticas.

Alguns pais afirmam que tentaram dividir as tarefas com os filhos, mas que estes não aceitaram. Minha sugestão é reunir semanalmente todos os membros e falar sobre maneiras de melhorar a vida em família. Oferecer às crianças oportunidade para expressar as suas ideias e ouvir as nossas produz um ambiente onde elas se sentem parte da família e, portanto, assumem certas responsabilidades. De acordo com minhas observações, casais que realizam essas reuniões obtêm mais cooperação por parte das crianças do que famílias nas quais os pais apenas dão ordens aos filhos. As crianças têm maior propensão a aceitar responsabilidades quando participam da análise das tarefas familiares e têm liberdade para opinar quanto à justa distribuição dessas atividades.

Se como pais vocês se sentem mal por não fazerem tudo pelos filhos, lembrem-se que ninguém se torna responsável instantaneamente, ao fazer 18 anos. Esses anos iniciais são a fase em que eles se desenvolvem. Se a criança não aprendeu a ter responsabilidades em casa, não aprenderá sendo caloura na universidade. Prestamos um desserviço a nossos filhos quando fazemos tudo por eles sem exigirmos nada.

Alguns casais desaprovam a ideia de delegar responsabilidades domésticas aos filhos, pois acham que perdem mais tempo ensinando como fazer do que fazendo. Para essas pessoas, delegar não é uma forma de ganhar tempo, pelo contrário. O problema aqui é a forma como os pais vêm delegando responsabilidade aos filhos. Se durante a reunião familiar foram estabelecidas certas responsabilidades, é preciso estipular também as consequências caso a tarefa não seja feita.

Por exemplo, se foi estabelecido que o adolescente deve cortar a grama todo sábado após o almoço, a consequência do descumprimento é não deixar que ele saia com os amigos naquele final de semana. Estabelecer consequências elimina a necessidade de "pegar no pé" do adolescente para que ele cumpra sua tarefa. Uma vez estabelecida a relação tarefa/consequência, não é necessário mencioná-la novamente, pois se a tarefa não for cumprida o adolescente simplesmente sofrerá as consequências. A maioria deixará de cortar a grama apenas uma vez. Aprenderão a ser responsáveis quando perceberem que você é gentil, porém firme, ao aplicar as consequências. Elogiar o bom trabalho realizado também é uma ótima forma de motivação.

Outra forma de conseguir mais tempo para investir no casamento é contratar pessoas para realizar certas tarefas domésticas. Quando meu filho entrou para a faculdade, perdi meu cortador de grama oficial. Fiquei tão acostumado a não ter mais essa responsabilidade que minha esposa e eu decidimos que seria melhor pagar alguém do que voltar a gastar tempo com isso. Felizmente, há várias empresas que prestam esse tipo de serviço em meu bairro, com preços bem acessíveis. Essa decisão me poupou duas horas por semana.

Em muitas famílias, a esposa trabalha fora e ainda tem de preparar as refeições e fazer as tarefas domésticas. Essa rotina é cansativa e sobra pouco tempo para conversas significativas ou sexo. Talvez algumas dessas responsabilidades possam ser delegadas ao marido. Muitos homens estão dispostos a limpar a cozinha e lavar a roupa para terem mais tempo de relacionamento íntimo com a esposa.

Agora somente para as esposas: se seu marido aceita uma tarefa doméstica qualquer, qual das frases a seguir representa melhor sua reação?

- Deixo que faça do jeito dele.
- Critico a forma como ele realiza a tarefa.
- Ofereço conselhos não solicitados.
- Demonstro gratidão.
- Faço alguma coisa de que ele gosta como retribuição.
- Resmungo que não saiu como eu esperava.

Delegar responsabilidades ao cônjuge, filho ou profissional contratado significa que a tarefa não sairá da forma como você mesmo faria. Lembre-se, o objetivo não é atingir a perfeição, mas liberar tempo para as coisas que são importantes.

Agendar com antecedência

Uma senhora me relatou que seu marido andava muito atarefado com o trabalho e outras atividades, e que há tempos não faziam as refeições juntos. Sem dizer qualquer coisa ao marido, essa esposa pegou a agenda dele e marcou o nome dela para um almoço ao meio-dia da quinta-feira seguinte. Alguns dias depois ela viu que seu nome tinha sido riscado da agenda e em seu lugar havia um almoço de negócios. O marido nunca comentou nada sobre isso. Esse tipo de solução geralmente traz pouco resultado, e não é isso que quero dizer quando me refiro a agendar.

Estou falando sobre uma abordagem direta em que os dois usam suas agendas e decidem, de comum acordo, separar um tempo para ficarem juntos. Pode ser um jantar, uma volta na praça, um piquenique ou uma viagem no final de semana, enfim, algo diferente da rotina. Para a maioria dos casais, nada acontece se esses momentos não forem agendados com antecedência. Muitos descobriram que a única forma de passarem tempo juntos é agendando uma data semanal. Isso exige disciplina, mas mostra qual é nossa prioridade; em geral, encontramos espaço na agenda para aquilo que é importante.

Alguns dirão que é desagradável ter de *agendar* momentos com o cônjuge, uma vez que acreditam na espontaneidade da relação. Contudo, numa sociedade onde todos os minutos são contados, se não agendarmos tempo de qualidade com o cônjuge para conversar, ter relações sexuais, discutir e resolver problemas juntos, provavelmente nossos objetivos serão alcançados apenas esporadicamente. Assim, o planejamento antecipado deveria ser encarado como algo positivo, e não negativo. É emocionalmente encorajador saber que o cônjuge se importa a ponto de agendar um período para dedicar-se exclusivamente ao casal. Ainda podemos ser espontâneos ao pensar na forma como usamos o tempo que foi agendado. O propósito do agendamento é ter certeza de que haverá tempo disponível.

Lembro-me de uma esposa que disse: "Tinha aversão a agendar nossas relações sexuais, pois sempre pensei que isso era uma daquelas coisas que deveriam ser totalmente espontâneas. Mas quando me dei conta de que havia três meses que não fazíamos sexo, percebi que a espontaneidade não estava funcionando. Agora que sabemos de antemão quando estaremos juntos, nos tornamos mais criativos ao nos prepararmos para essas ocasiões". Quaisquer que sejam seus objetivos, a possibilidade de realizá-los aumentará significativamente se eles forem agendados.

Incentivar um tempo a sós

Ao agendar um tempo de qualidade para o casal, não se esqueça de que cada um precisa de tempo de qualidade a sós:

tempo para pensar, orar e refletir sobre a vida. Enriquecemos um ao outro somente quando estamos pessoalmente enriquecidos. O casal precisa cooperar para que cada um tenha seu momento de reflexão pessoal.

As Escrituras registram que Jesus buscava isolamento em algumas ocasiões (Mc 1.35; Lc 4.42; 5.16). Se isso era importante para ele, não é menos importante para nós. Precisamos de algum tempo a sós para revigorar nossa saúde emocional, espiritual e física; tempo para meditar, pensar, ler, caminhar, orar, cheirar uma flor ou qualquer outra atividade significativa e revitalizante.

Talvez isso signifique oferecer-se para cuidar das crianças enquanto o outro passa algum tempo sozinho; estimular o cônjuge a abandonar momentaneamente uma tarefa doméstica para se dedicar a algo que de fato goste de fazer. Todos nós precisamos desses momentos a sós. Cônjuges que incentivam um ao outro a encontrar tempo para essas experiências solitárias melhoram o tempo de qualidade que passam juntos.

***

Nos dois últimos capítulos, tratamos de como superar as barreiras da falta de tempo que nos impedem de construir intimidade e comunicação. Contudo, estamos cientes de que, às vezes, o que chamamos de falta de tempo é, na verdade, uma barreira emocional. Quando afirmamos que não temos tempo, na verdade queremos dizer que há razões emocionais para não passarmos tempo juntos. Talvez haja amarguras por causa de alguma coisa que o cônjuge fez, ou talvez o medo de nos relacionarmos intimamente nos leve a estar sempre atarefados. Conforme uma esposa me disse: "Como estou sempre correndo de um lado para o outro, é difícil para ele me abraçar, conversar comigo ou ficar perto de mim". Para lidar com esses problemas emocionais, não basta termos todo o tempo do mundo. Discutiremos essas questões no próximo capítulo.

Questões para refletir

1. De que forma temos sido mais influenciados por nossa cultura do que por Cristo, trocando as atividades pelas realizações?
2. Faça uma análise individual do seu tempo durante a próxima semana. Desenhe oito colunas numa folha de papel, escrevendo na primeira coluna as horas do dia (proponho iniciar a contagem a partir da meia-noite). Nas outras sete colunas, coloque os dias da semana, começando pelo domingo e terminando no sábado. Ao lado de cada hora e na coluna correspondente ao dia da semana, escreva o que fez nesse período, desde a hora que acordou até quando foi dormir.
3. Há algo que você tem feito que não está contribuindo com as prioridades de sua vida? Há algo que poderia ser delegado para alguém? Seria melhor contratar alguém para fazer isso? Comece a eliminar essas atividades de sua agenda (é claro que isso pode levar algum tempo, ou ser algo difícil de fazer).
4. Agora revise as decisões que tomou (ou quer tomar) a fim de eliminar algumas tarefas e, no lugar dessas tarefas, agende um momento para meditação, oração, descanso ou qualquer outra forma de gastar tempo consigo mesmo.

Aceitamos

Compartilhe sua análise do tempo com seu cônjuge. Agora revisem seus objetivos de casamento descritos no capítulo 11. Se um dos objetivos é gastar quinze minutos conversando um com o outro, por exemplo, verifique sua análise de tempo e faça alterações para que esse objetivo seja atingido. Revisando suas prioridades, que outros objetivos podem ser atingidos modificando a forma como você gerencia seu tempo?

13
Identificar as diferenças

Antes de se casar, Brett ficava imaginando como seria maravilhoso acordar cedo e tomar café da manhã com sua esposa, Allyson. Depois do casamento, descobriu que Allyson não gostava de acordar cedo. Além disso, também imaginava como seria bom caminhar no mato e dormir numa barraca, mas descobriu que aventura para Allyson era passar a noite num hotel. Brett achava importante economizar; tanto que pagou à vista o pequeno e discreto anel de noivado. A filosofia de Allyson, ao contrário, era: "Compre hoje porque amanhã pode ser tarde". Brett acreditava que havia respostas racionais para tudo e sua frase predileta era:

— Veja bem, vamos analisar essa situação.

— Estou cansada de analisar. Porque não podemos, só desta vez, fazer alguma coisa sem ficar pensando muito? — Allyson respondia.

Os opostos se atraem

A maioria das pessoas pode se identificar com Brett e Allyson. A forma como pensamos, agimos e encaramos a vida em geral é bem diferente de nosso cônjuge. Na verdade, alguns dirão: "Nós somos diferentes em tudo, somos como a noite e o dia. Não sabemos como conseguimos ficar juntos". Nem todos os casais têm diferenças tão profundas assim, mas a maioria pode identificar facilmente várias áreas em que são muito diferentes do cônjuge.

Muitas de nossas diferenças se desenvolveram durante o processo de crescimento, conforme vimos no capítulo 2. Nós observamos o exemplo de nossos pais, nos identificamos com eles e reagimos de forma parecida; ou escolhemos fazer exatamente ao contrário, em resposta a tudo o que percebemos de negativo. Cada um de nós desenvolveu um padrão único de respostas emocionais, sociais, intelectuais e espirituais.

Nossas diferenças também provêm do fato de que somos criaturas de Deus. Ele é infinitamente criativo. Nenhuma criatura é exatamente igual à outra; somos todos originais. Deus nos criou dessa maneira com o objetivo de nos completarmos mutuamente. Por isso, quando começamos a namorar, sentimos atração por alguém diferente de nós mesmos: ele era tímido, ela, extrovertida; ele era um trabalhador esforçado, ela, uma amante espirituosa. Ele era exagerado e gostava de comprar coisas bonitas para a namorada, que se sentia especial porque costumava economizar cada centavo. Os opostos se atraem. No processo de namoro, geralmente nos sentimos atraídos por pessoas que complementam nossa personalidade.

Algumas diferenças estão arraigadas nos papéis que a sociedade impõe a homens e mulheres. Por exemplo, a sociedade ocidental ensina que os homens não devem demonstrar suas emoções, enquanto as mulheres estão livres para expressar todos os seus sentimentos. As pesquisas mostram que, em nosso país, os homens e as mulheres tendem a seguir esse padrão cultural. Todavia, o fato de haver milhares de homens e mulheres que não se encaixam nesse padrão demonstra que isso não é uma característica relacionada ao gênero, mas à cultura.

Em resumo, nossas diferenças existem porque fomos criados por um Deus infinito e criativo, porque crescemos em ambientes familiares diferentes, porque aprendemos a conviver com papéis de gênero estabelecidos pela cultura e porque somos influenciados por nossa composição genética singular.

Não posso prever quais diferenças específicas surgirão em seu casamento, mas posso prever que as diferenças vão aparecer. Neste capítulo, quero compartilhar algumas diferenças que observei como conselheiro de casais ao longo dos últimos trinta anos. Creio que você se identificará com algumas delas.

O diurno e o notívago

James se casou com a ideia de ir para cama com sua esposa, Susan, por volta das 22h30 todas as noites, às vezes para fazer sexo, às vezes simplesmente para ficarem juntos jogando conversa fora. Susan, entretanto, nunca pensou em deitar-se nesse horário. Na verdade, esse período entre 22 horas e meia-noite era aquele momento mais produtivo, em que ela se dedicava a ler, pintar, jogar ou fazer qualquer coisa que exigisse muita energia. Ela é a típica representante daqueles que gostam do período noturno, sejam homens ou mulheres. Muitas dessas pessoas acabam se casando com aqueles que gostam de acordar cedo e aproveitar o dia. São aquelas pessoas que às 6 da manhã estão no pique total, mas lá pelas 22 horas já estão sem energia. Enquanto o diurno salta da cama com todo o entusiasmo, pronto para enfrentar o mundo, o notívago se esconde embaixo das cobertas, pensando: "Só pode ser brincadeira. Ninguém consegue acordar de manhã tão animado desse jeito".

Antes de se casarem, a pessoa cuja energia acaba por volta das 22 horas era impulsionada pelo entusiasmo do notívago. Nas palavras de James: "Susan é a única pessoa que conseguia me manter acordado depois das dez da noite. Foi por isso que me apaixonei por ela". Antes de se casarem, Susan lhe disse: "Não me acorde pela manhã; esse não é meu melhor momento do dia". James concordou carinhosamente com o pedido, desconhecendo o mau humor da esposa ao acordar antes do meio-dia.

O mar Morto e o riacho borbulhante

Quem conhece a geografia de Israel sabe que o mar da Galileia escoa para o sul, via rio Jordão, e desemboca no mar Morto, que por sua vez não escoa para lugar nenhum. Muitos têm esse tipo de personalidade. São pessoas que armazenam num grande reservatório todo tipo de pensamentos, sentimentos e experiências da vida, e vivem felizes assim, sem compartilhar nada com ninguém. Se você perguntar a um mar Morto: "O que aconteceu? Por que você está tão calado hoje?", ele provavelmente dirá, com sinceridade: "Não aconteceu nada. Por que você acha que aconteceu alguma coisa?". O mar Morto é feliz desse jeito; não vê necessidade de conversar.

Em outro extremo está o riacho borbulhante, aquele indivíduo que compartilha em tempo real tudo o que ouve ou vê ao seu redor. E se não há ninguém por perto para conversar, telefonam: "Deixe eu lhe contar o que aconteceu comigo hoje". Essas pessoas não têm reservatório; falam sobre tudo aquilo que experimentam.

É bastante comum um mar Morto casar-se com um riacho borbulhante. Antes do casamento, ambos consideram suas diferenças atraentes. Por exemplo, durante o namoro o mar Morto não tem que pensar: "E agora, sobre o que vou falar esta noite?". Tudo o que tem a fazer é ouvir, balançar a cabeça concordando e deixar que o riacho borbulhante se encarregue do resto. Por sua vez, o riacho borbulhante vê no mar Morto uma pessoa atraente porque é um ótimo ouvinte. Contudo, após cinco anos de casamento, talvez o riacho borbulhante comece a pensar: "Todo esse tempo juntos e ainda não o conheço", ao passo que o mar

Morto dirá: "Já conheço você muito bem. Quem me dera você parasse de falar e me desse um pouco de sossego".

O maníaco por arrumação e o desleixado

"Nunca conheci alguém tão desleixado quanto Barry", disse Meredith. Quantas esposas falaram a mesma coisa sobre o marido menos de um ano após o casamento? No entanto, é interessante observar que antes isso não a incomodava. Com certeza ela deve ter notado que o carro dele estava quase sempre sujo e que seu apartamento não era tão arrumado quanto ela gostaria. No entanto, pensava: "Barry é tranquilo com essas coisas. Isso é bom, gostei! Eu preciso mesmo relaxar um pouco". Barry, por sua vez, viu Meredith como um anjo: "Puxa, Meredith é maravilhosa! Que esmero! Não preciso mais me preocupar com a bagunça, porque com certeza ela vai cuidar de tudo". Três anos após o casamento, ele passou a ser bombardeado com acusações e não entendia por que ela ficava tão irritada por causa de um par de meias sujas.

O assertivo e o passivo

Há um antigo ditado que diz: "Alguns leem histórias; outros fazem história". Geralmente essas duas personalidades contrastantes se casam. O cônjuge assertivo acredita que cada dia representa uma nova oportunidade para promover a causa. Ou seja, tudo aquilo que quer, ou acredita ser o melhor, ele vai fazer acontecer. Ele utilizará todos os meios, revirará todas as pedras e fará tudo o que for humanamente possível para atingir seus objetivos de vida. O cônjuge passivo, ao contrário, gasta seu tempo analisando, refletindo, ponderando as variantes e condicionais, e esperando que alguma coisa boa aconteça.

Antes do casamento, essas características atraem um ao

outro. O assertivo admira a calma, a moderação e a compostura de seu cônjuge diante das circunstâncias da vida. O passivo, por sua vez, encanta-se com a atitude resolvida de seu companheiro e fica feliz por ter alguém que sabe planejar e fazer as coisas acontecerem. Agora, depois do casamento, o casal tem dificuldades para conviver com essas características. O assertivo quer arrastar o passivo para a ação, enquanto o passivo diz: "Calma, não se preocupe tanto. Tudo acabará bem".

O organizado e o espontâneo

Nesse casamento, um dos cônjuges é metódico e o outro, espontâneo. O primeiro passa semanas planejando as férias: consultando mapas, traçando itinerários, fazendo reservas e arrumando as malas. O segundo espera até a noite da véspera da viagem e então pergunta: "Por que não vamos à praia em vez de irmos para o interior? O dia está tão bonito, tão gostoso". Isso tira o organizado do sério e as férias se transformam em uma tortura.

Antes do casamento, Tricia ficava impressionada com o talento organizacional de Trent. Ele analisava suas finanças mensalmente, por exemplo. E ela achava maravilhoso. Depois do casamento, ela diz: "O quê? Você quer que eu anote *todas* as minhas transações financeiras? Impossível, ninguém faz isso!". Com a maior naturalidade, Trent mostra suas anotações, com todos os detalhes possíveis.

O professor e o dançarino

Para o professor, todas as coisas devem ser bem explicadas. Seu raciocínio é: "Precisamos encontrar uma razão lógica para tudo o que fazemos. Se alguma coisa não tem lógica, então não devemos fazê-la". O dançarino é mais intuitivo: "Não precisamos de razões lógicas para tudo. Fazemos algumas coisas simplesmente porque gostamos de fazê-las; não é preciso justificar os motivos. Será que sempre tenho de explicar por quê? Apenas quero, ponto final". Antes do casamento, ambos se admiram. Mais tarde, porém, o professor começa a perder a paciência com o comportamento ilógico do dançarino, e este último passa a se perguntar como continuar a viver com alguém tão obcecado com a racionalidade.

— Ellen, veja bem, a pintura da parede não está suja nem desgastada. Portanto, não é necessário pintá-la. Você compreende?

— Sim, compreendo. Mas não quero mais as paredes pintadas de verde-claro.

O professor tem dificuldade para tomar decisões baseadas em desejos, e o dançarino não consegue entender por que suas decisões têm de ser lógicas.

O leitor e o telespectador

O leitor nunca entenderá como alguém consegue passar tanto tempo em frente à televisão, enquanto o telespectador lamenta a ausência silenciosa de quem prefere ler.

— Por que você está sempre lendo em vez de assistir a alguns programas comigo? Venha se divertir um pouco — diz Rob a Grace, sua esposa.

— Nunca mais assistirei a essa porcaria. É pura perda de tempo. Eu uso minha mente quando leio — Grace responde.

Rob e Grace ilustram toda uma categoria de diferenças relacionadas aos interesses. Além da televisão, podemos incluir outras áreas como filmes, trabalhos manuais, computadores, exercícios físicos e outras atividades. Quando os cônjuges têm interesses diferentes, por vezes não compreendem ou não aceitam a atividade que o outro aprecia. Por exemplo, quem gosta de música clássica diz: "Bravo! Esse *Opus* número 12 em lá menor não é maravilhoso?", ao que o apreciador de música caipira responde: "Você chama isso de música?". O corredor diz: "Meu objetivo é correr a maratona e vou treinar muito para isso, faça chuva ou faça sol". Mas o que gosta de caminhar responde: "Eu não quero acabar com meus joelhos. Prefiro apreciar a paisagem enquanto ando".

Primeira classe e classe econômica

O primeira classe sempre quer o melhor de tudo: a melhor roupa, o melhor aparelho, tudo o que houver de mais caro. Por outro lado, o classe econômica procura pechinchas. Geralmente essas diferenças aparecem quando resolvem comprar um carro: um deseja instalar todos os opcionais, mas o outro quer apenas o básico. Quando planejam sair para jantar, o econômico prefere *fast-food*; afinal, hambúrguer também é comida. Porém o primeira classe jamais comeria um hambúrguer — a menos que fosse servido num prato de porcelana.

Quando viajam juntos, um busca simplicidade; o outro, elegância. O classe econômica quer guardar dinheiro para o futuro, mas o primeira classe não tem certeza de que haverá um futuro e, portanto, quer aproveitar o momento presente.

Antes do casamento, o classe econômica ficava fascinado com a quantia que o primeira classe gastava para fazê-los felizes, enquanto o primeira classe admirava a natureza cautelosa do futuro cônjuge. Após o casamento, porém, o classe econômica passou a viver com medo da falência e o primeira classe se cansou de ouvir palestras de economia doméstica.

— Gostaria que, pelo menos uma vez na vida, você não pedisse a coisa mais barata do cardápio — disse Philip a Gail, sua esposa.

— Mas eu pensei que você estivesse orgulhoso de mim por eu economizar — ela respondeu.

— Na verdade, você me faz parecer um fracassado, como se eu não pudesse lhe dar coisas boas — completou o marido.

— Não sabia que você pensava assim — replicou a esposa, e emendou — Garçom, por favor, me traga um filé *mignon*.

Cristão de domingo e cristão de quarta-feira

Geralmente há menos pessoas nos estudos bíblicos de quarta-feira do que nos cultos dominicais. É simplesmente uma daquelas coisas que acontecem na vida da igreja. O problema surge quando um cristão de quarta-feira se casa com um cristão de domingo: o primeiro não compreende como um cristão pode se satisfazer indo à igreja apenas uma vez por semana, enquanto o último pensa que só os fanáticos religiosos vão à igreja com tanta frequência.

O cristão de quarta-feira geralmente acredita ter mais maturidade espiritual do que seu cônjuge. Embora isso talvez seja verdade em alguns casos, certamente não é o que ocorre em todos eles. Quem tem mais maturidade espiritual: aquele que frequenta a igreja somente aos domingos, porém mantém períodos devocionais diários e consistentes, colocando os ensinamentos bíblicos em prática, orando e andando em comunhão com Cristo, ou aquele que frequenta todas as programações da igreja, porém não faz devocionais, não ora e não desfruta de uma comunhão íntima com Deus durante a semana? A resposta é óbvia.

É provável que alguns considerem essa ilustração um exemplo exagerado. Contudo, muitos pastores são testemunhas de que alguns cristãos de quarta-feira têm enormes carências emocionais e vão às programações da igreja apenas para suprir essas necessidades. São cristãos que ainda não amadureceram e não aprenderam a aplicar as verdades bíblicas à vida pessoal. Não estou dizendo isso para desestimular a frequência aos cultos de quarta-feira. Em vez disso, quero mostrar que essa diferença não representa necessariamente um problema de maturidade espiritual.

Como cristãos, em geral nos orgulhamos do sentimento de que "Deus está do nosso lado". Se eu achar que a leitura é algo mais espiritual do que assistir televisão, então passarei a hostilizar meu cônjuge, que gosta mais de televisão do que de livros. Se eu achar que os filhos de Deus merecem viajar sempre na primeira classe, então passarei a censurar meu cônjuge por querer viajar na classe econômica. Entretanto, a questão não é se ler é mais espiritual do que assistir televisão. A questão é o que estou lendo (ou assistindo) e como isso influencia meu relacionamento com Deus e com os outros. Voar ou não de primeira classe não tem nada a ver com a vontade de Deus. É uma questão de administração de recursos. Cada um terá preferências diferentes, porém todas essas preferências devem estar sob o senhorio de Cristo.

* * *

As diferenças que examinamos neste capítulo não compõem uma lista completa; são apenas exemplos das diferenças mais comuns no casamento. Encorajo você a fazer uma lista das diferenças que observa em seu casamento, que pode incluir algumas diferenças já apresentadas e outras que vocês identificarem. Esse é o propósito deste capítulo. No próximo, trataremos de como transformar essas diferenças em vantagens, em vez de obstáculos.

Questões para refletir

1. Individualmente, identifique cinco diferenças entre você e seu cônjuge. Você pode utilizar as ilustrações oferecidas neste capítulo ou outras de sua preferência.
2. De que forma essas diferenças causaram um impacto positivo em seu casamento?
3. De que forma elas causaram um impacto negativo?
4. Cite algo que você fez esta semana para incentivar seu cônjuge (verbalmente ou não).

Aceitamos

Comparem suas respostas às questões 1 e 2. Quais as diferenças entre elas? Quais as semelhanças? Discutam (espera-se que de forma descontraída) suas perspectivas, principalmente se foram rotulados de "desleixado" ou "dançarino". Agora identifiquem momentos específicos em que esses comportamentos ou traços se tornaram atípicos (quando você ficou doente, o "desleixado" manteve os banheiros e os quartos arrumados; o "telespectador" leu o mesmo livro que você para discutirem, etc.). Usando declarações em primeira pessoa (eu), explique como essa ação contraintuitiva fez você se sentir. Por exemplo, "Apreciei de coração quando fiquei doente e você manteve as coisas arrumadas. Consegui descansar sem me preocupar, e me senti cuidado".

14
Transformar as diferenças em vantagens

As diferenças podem ser fatais, mas também maravilhosas. Recentemente deparei com minha esposa na cozinha às 7 horas da manhã. Isso não acontecia desde o tempo em que nosso último filho entrou na faculdade. Primeiro, bati a cabeça na porta do armário que ela abriu, depois bati o cotovelo na porta do micro-ondas, que também estava aberto. E, quando me virei para pegar uma faca, quase acertei minha esposa. Pedi desculpas e disse com toda sinceridade: "Sabe querida, estou muito feliz por você não gostar de acordar cedo". Percebi de repente como minha atitude mudou nesses anos, pois no começo fiquei muito chateado por ela não acordar cedo junto comigo. Além disso, percebi o quanto aprecio tomar o café da manhã com Deus (ele está sempre acordado). Quando entro na cozinha, sinto certa satisfação em saber que as únicas portas e gavetas abertas serão aquelas que eu mesmo abrirei. Não só acabei aceitando nossas diferenças como, na verdade, estava gostando muito delas.

Unidade não significa uniformidade

Por que Jesus escolheu doze homens com personalidades diferentes para serem seus discípulos? Acredito que Jesus não queria uniformidade, mas unidade: cada um complementava o outro conforme trabalhavam em equipe visando alcançar os propósitos de Deus. Da mesma forma, há uma grande diferença entre unidade e uniformidade no casamento. Deus deseja que marido e mulher se tornem um, mas não que sejam similares. As diferenças existem para que um complemente o outro e fortaleça a efetividade de nosso serviço a Cristo.

Infelizmente, no mundo real do casamento as diferenças têm levado casais quase à loucura. Certamente não foi *isso* que Deus planejou para nós. As diferenças são parte de nossa humanidade. Nunca haverá um casal sem diferenças. A questão é como transformar essas diferenças em vantagens em vez de em obstáculos. Existem passos construtivos para colocar essas diferenças a nosso serviço, e não contra nós.

Transformando diferenças em vantagens

No último capítulo, enfatizamos a identificação de nossas diferenças. Provavelmente você deve ter percebido grandes diferenças entre você e seu cônjuge em certos aspectos de personalidade e comportamento. Agora, o segundo passo é identificar quais dessas diferenças geram conflitos. Em algumas áreas vocês já aprenderam a conviver em harmonia. Por exemplo, apreciamos nossas diferenças quando um gosta de cozinhar e o outro de lavar a louça. Mas quais disparidades causam discussões? Quais causam irritação?

Uma vez identificadas essas diferenças, responda à seguinte questão: O que mais me irrita em relação a essa diferença? Por exemplo, digamos que você é diurno e seu cônjuge seja notívago, uma diferença que o incomoda. Pergunte a si mesmo: O que mais me irrita nisso? Talvez descubra que seu cônjuge censura seu entusiasmo matinal. Pode ser que se sinta culpado por dormir mais cedo e deixar seu cônjuge sozinho, ou magoado porque seu cônjuge não acorda cedo para aproveitar o dia com você, como fazem os outros casais. Outra possibilidade é ressentir-se por ter de acordar sem fazer barulho, para não atrapalhar o sono do cônjuge, ou por ele não acordar cedo e preparar-lhe o café, como todo bom cônjuge deveria fazer. Talvez perceba que não gosta de tomar o café da manhã sozinho, preferindo compartilhar a primeira refeição do dia com alguém. Quanto mais você entender sobre o que o irrita nessas diferenças, mais bem preparado estará para lidar com elas e encontrar respostas para seu dilema.

Um marido me disse: "Eu sou muito proativo, mas minha esposa é muito passiva. Posso viver com isso, mas o que me irrita é que ela não se posiciona no trabalho. Ela permite que seu chefe a faça de capacho, e isso me incomoda muito". Identificar as coisas que nos irritam é um passo positivo no processo de aprender a apreciar nossas diferenças.

Outro passo nessa direção é responder à questão: Por que isso me chateia tanto? O que há em mim, em minha história ou em meu sistema de crenças, que causa essa irritação em relação ao comportamento de meu cônjuge? Na maioria das vezes, as respostas a essas questões estão no passado. Fomos educados a pensar de certo modo e agir de certa maneira. Por isso, ficamos frustrados quando descobrimos que nosso parceiro não concorda com nossas crenças, nossa forma de pensar e agir. Entretanto, essas razões permanecerão escondidas em nosso subconsciente se não fizermos essa análise interior. À medida que me entendo e descubro por que certas coisas me irritam, torno-me mais capaz de revelar a causa de meus sentimentos ao cônjuge. Essa compreensão cria um ambiente para dialogar sobre nossas diferenças e encontrar novas maneiras de lidar com elas.

Por exemplo, o marido de personalidade proativa talvez descubra que seu pai ou sua mãe o educaram com a ideia de que, para ser alguém de valor, é necessário ter assertividade. A mensagem emocional enraizada nesse indivíduo é: "Você não será ninguém se deixar as pessoas passarem por cima de você". É fácil perceber os motivos da irritação dessas pessoas quando consideramos suas experiências anteriores. Eles não querem se casar com um "zé-ninguém". A questão dessas pessoas é a autoestima. Esse discernimento prepara o caminho para um diálogo produtivo com o cônjuge, ao contrário das discussões superficiais que raramente levam a algum lugar.

A questão é: Por que isso me irrita? Talvez você se incomode com as coisas caras que seu cônjuge compra, pois foi educado para viver modestamente; para você, gastar dinheiro dessa forma é quase um pecado. Outra possibilidade é ter crescido numa família pobre, na qual faltavam as coisas básicas da vida, e agora vive com medo que isso também aconteça com sua família se você não for parcimonioso nos gastos. Pode ser, ainda, que se sinta culpado por comprar coisas caras, pois isso causaria a impressão de que é materialista. A resposta a essas irritações relacionadas ao comportamento do cônjuge só poderá ser encontrada por você mesmo. Somente você pode descobrir os sentimentos que estão enraizados em sua própria história e personalidade.

Após analisar seus pensamentos e sentimentos relacionados com essas irritações, você estará preparado para conversar com seu cônjuge. Lembre-se que um dos fatores principais para uma boa comunicação é usar sentenças em primeira pessoa. Seu objetivo é explicar ao cônjuge os motivos que o irritam no comportamento dele. É essencial que cada um tenha liberdade de demonstrar sua humanidade, isto é, permitir que haja diferenças e sentimentos decorrentes dessas diferenças.

Robert se irritava desde o começo de seu casamento porque sua esposa nunca queria ir para a cama no horário que ele considerava "razoável". Ele ficava muito chateado quando ela insistia em assistir televisão ou ler um livro até a meia-noite. "Eu entendo que durante o namoro era necessário ficarmos acordados até tarde da noite, pois era o único tempo que tínhamos para ficar juntos. Mas agora que estamos casados, ela não quer mais ficar comigo." Jill, sua esposa, se aborrecia com essa atitude de reprovação do marido. Quando Robert começou a analisar o problema, descobriu que o motivo de sua irritação não tinha nada a ver com o fato de ela ficar acordada até mais tarde. Na verdade ele sentia falta de afeto por parte da esposa, pois os desejos sexuais dele não estavam sendo satisfeitos. Quando comunicou isso à sua esposa num diálogo aberto e acolhedor, compreenderam que a solução não estava em alterar seus horários habituais de acordar, mas em encontrar um momento para satisfazer os desejos sexuais. Ela continuou notívaga, e ele continuou diurno. Mas, quando as necessidades sexuais foram supridas e a carência de afeto foi satisfeita, ele deixou o ressentimento e passou a ser grato por uma esposa que o amava, ainda que houvesse diferenças entre eles. O processo de analisar e esclarecer nossas diferenças nos permite dialogar de maneira sadia e concentrar-nos nas coisas que precisam ser resolvidas, em vez de censurarmos um ao outro.

As dificuldades que surgem de nossas diferenças podem ser resolvidas. Infelizmente, alguns cônjuges investem todo esforço em tentar mudar o outro e eliminar as diferenças. Essa abordagem raramente é bem-sucedida. Encontraremos a solução quando aceitarmos nossas diferenças, pararmos de ficar criticando o outro por ser diferente e nos concentrarmos nas dificuldades que surgem a partir de nossas divergências. Quando isso acontecer, ambos serão acolhidos como indivíduos e não haverá necessidade de sentirem-se culpados por ser quem são.

O processo que descrevi não é fácil. Entretanto, os cristãos podem contar com ajuda externa. Jesus disse: "Pois, sem mim, vocês não podem fazer coisa alguma" (Jo 15.5). Alguns tentaram, a duras penas, conviver com as diferenças que os dividiam, mas não obtiveram êxito. Precisamos da sabedoria de Deus se quisermos compreender e utilizar nossas diferenças de maneira construtiva. As Escrituras nos estimulam a pedir ajuda: "Se algum de vocês precisar de sabedoria, peça a nosso Deus generoso, e receberá. Ele não os repreenderá por pedirem" (Tg 1.5). A maioria de nós admite que precisa de sabedoria, isto é, uma nova maneira de encarar nossas diferenças. Antes de continuar lendo, talvez você queira fazer uma pausa e pedir que Deus use este capítulo para ajudá-lo a lidar com as diferenças que você nunca conseguiu resolver.

Espero que um diálogo aberto com seu cônjuge o ajude a aceitar as diferenças que há entre vocês, removendo o espírito de condenação e discórdia, e substituindo por um espírito de amizade. Você dará um grande passo no processo de transformar essas diferenças em vantagens quando conseguir dizer: "Estou disposto a aceitar o fato de que sou diurno, e meu cônjuge, notívago, e que um não é melhor do que o outro". Como amigos em busca de soluções, vocês estarão abertos à possibilidade de realizar mudanças e transformar as diferenças em algo menos irritante. Uma boa questão, para começar, é perguntar um ao outro o que pode ser feito para facilitar a vida de vocês. Ofereçam sugestões específicas. Por exemplo, o notívago pode sugerir ao cônjuge diurno que comece sua cantoria só depois de sair do quarto. Para que haja progresso, devemos estar dispostos a fazer mudanças. Não é questão de alterar nossa personalidade, mas simplesmente de estar dispostos a mudar nosso comportamento para facilitar a vida do outro.

Uma promessa bíblica notável se encontra em 1João 5.14: "Estamos certos de que ele nos ouve sempre que lhe pedimos algo conforme sua vontade". Orar pedindo a vontade de Deus nos dá a certeza de que ele responderá a nossas orações. Sem dúvida, oramos segundo a vontade Deus quando pedimos a ele para nos ajudar a identificar e tirar proveito de nossas diferenças. Deus deseja que aprendamos a transformar as diferenças em vantagens para nosso casamento.

Esse princípio é ilustrado pela igreja cristã. Em 1Coríntios 12.7, Paulo relata que Deus concedeu diferentes dons e habilidades aos cristãos, dizendo que esses dons foram dados "para o benefício de todos". Isto é, os dons espirituais que Deus concedeu a cada cristão devem ser usados para o bem comum de todo o corpo. Somos diferentes e possuímos capacidades diferentes, porém cada um de nós possui um papel vital no corpo de Cristo. Nossas diferenças nos complementam mutuamente. Trabalhamos juntos para formar uma unidade, permitindo que cada um realize o papel que lhe cabe na igreja.

O casamento cristão deve seguir esse mesmo modelo. Precisamos entender nossas diferenças como dons concedidos por Deus e encontrar maneiras para que cada um utilize sua personalidade única em benefício do casamento. Quando pedimos que Deus nos ajude nesse processo, oramos de acordo com a vontade dele, sabendo que ele nos ouvirá e atenderá.

Nosso pedido é que Deus nos ajude a compreender e aceitar as diferenças do cônjuge enquanto buscamos caminhos para transformar essas diferenças em vantagens. Não estamos pedindo que Deus mude o cônjuge para nos agradar, mas sim que ele nos ajude a dialogar sobre as dificuldades que nossas diferenças têm causado e que encontremos a harmonia.

Precisamos ouvir a admoestação de Paulo: "Portanto, aceitem-se uns aos outros, como Cristo os aceitou, para que Deus seja glorificado" (Rm 15.7). Aceitar um ao outro com todas as nossas diferenças é um grande passo em direção ao crescimento espiritual e conjugal.

Mas será que as diferenças podem ser assim tão maravilhosas? Pergunte a Charles, o espontâneo, e Mary, a organizada: "Nos primeiros anos de casamento nossas férias eram um desastre. Mary ficava meses pegando no meu pé para eu fazer as reservas no hotel e comprar as entradas para as atrações. Mas eu nunca fiz isso. Minha ideia era dirigir por aí e deixar que as placas me guiassem; se alguma coisa vale a pena ver, com certeza estará numa placa. À noite, parávamos no primeiro hotel que aparecesse. Que negócio é esse de se preocupar com reservas? Se eles querem meu dinheiro, que me arranjem um quarto. 'E se estiverem lotados?', minha esposa perguntava. 'Isso é coisa de hotel barato. De qualquer forma, não quero ficar num hotel desses', eu respondia. Odeio admitir, mas naquela época muitas vezes a gente rodava até depois da meia-noite procurando um quarto para dormir, e então chegávamos cansados, irritados e sem ânimo para fazer sexo. Não consigo acreditar que eu chamava aquilo de férias".

Ele continua:

"Hoje nossas férias são para valer. Mary passa o ano todo planejando, lendo guias de viagem e escolhendo os melhores hotéis pelos melhores preços. O pessoal até já sabe nossos nomes quando chegamos na portaria! Minha parte nisso tudo?

Inventar atividades espontâneas, coisa que amo fazer; essa é realmente a minha área. Você não acredita no que já fizemos juntos: saltamos de asa-delta em Nags Head, passeamos de trenó no Alasca, mergulhamos sem roupas à meia-noite. Enfim, férias de verdade. Hoje não perdemos mais tempo discutindo e procurando hotéis. Sim, estamos maravilhados com nossas diferenças."

Ou então pergunte a Kathy, a musicista desorganizada, sobre suas diferenças com Peter, seu marido engenheiro com mania de arrumação: "Em toda minha vida nunca consegui me lembrar onde guardava a chave do carro. Devo ter perdido ou trancado o carro com a chave dentro umas vinte vezes quando era solteira. Meu pai, o homem mais paciente do mundo, tinha pelo menos quatro cópias de minhas chaves e sempre vinha me socorrer com uma chave nova quando eu telefonava, dia ou noite".

Kathy diz então como foi no começo do casamento: "No primeiro ano, perdi a chave do carro sete vezes. Cada vez que isso acontecia, tínhamos de trocar todas as fechaduras da casa porque eu as guardava junto com a chave do carro. Peter ficava maluco com isso e me passava sermões. Ele até sugeriu que eu guardasse a chave no sutiã, mas nem isso eu lembrava de fazer. Eu estava começando a pensar que ele iria se divorciar por causa das chaves, e isso me deixava com um sentimento de culpa. Eu sabia que deveria ser mais responsável, mas, honestamente, não sabia como fazer isso.

"Certa noite, disse a Peter que sabia dessa minha fraqueza (para dizer o mínimo) e que precisava muito da ajuda dele. Pedi a ele que colocasse sua mente de engenheiro para funcionar e encontrasse uma solução para meu problema. Fiquei impressionada com o resultado. Primeiro, ele trocou meu carro por outro com abertura eletrônica das portas, desses que a gente tem que digitar uma combinação de números e assim não precisa usar chaves para abrir a porta. Achei genial, pois como sou musicista, tenho facilidade para lembrar números. Depois disso, ele engendrou a chave de partida numa bola de tênis e pediu que eu nunca a tirasse de dentro do carro. Sem problemas. Afinal, quem vai querer carregar uma bola de tênis no bolso? É só deixar a chave embaixo do banco, assim fica fácil para eu pegá-la quando entro no carro. Quanto às chaves de casa, Peter as coloca num 'lugar secreto' quando sai de casa pela manhã (ele *nunca* se esquece de fazer isso), e eu a pego quando volto à noite e coloco imediatamente no mesmo 'lugar secreto'. Para o caso de eu esquecer, Peter fez seis cópias extras. Ano passado esqueci de fazer isso apenas três vezes. 'Excelente', ele me disse.

"Acho que Peter continua querendo que eu seja mais organizada, mas ele gosta de minha música e sabe que criatividade e desorganização às vezes andam juntas. Estou muito feliz por ter me casado com ele. Odiaria me casar com alguém parecido comigo; passaríamos metade da vida procurando nossas chaves. Com certeza o Peter e eu nos deleitamos com nossas diferenças!".

***

Cada diferença tem um potencial para o deleite. Se acreditarmos verdadeiramente que as intenções de Deus quanto às nossas diferenças é complementarmos um ao outro, buscaremos identificá-las e nos deleitarmos nelas. Resta ainda uma diferença problemática para analisarmos com mais atenção: a "atitude defensiva". Por que você e seu cônjuge às vezes ficam na defensiva? Espero que encontrem a resposta no capítulo 15.

Questões para refletir

1. Que diferenças entre você e seu cônjuge continuam a causar irritação?
2. O que exatamente incomoda você nessas diferenças?
3. Você consegue identificar algo relacionado à sua vida (história, sistema de crenças etc.) que faz com que se irrite com o comportamento do seu cônjuge?
4. Você tem gastado bastante energia tentando mudar o comportamento ou a atitude do seu cônjuge, de modo que não existam diferenças. Essa declaração é verdadeira ou falsa? Reflita e ore sobre isso.

Aceitamos

Mencionem o último desentendimento ou irritação causados pelas principais diferenças entre você e seu cônjuge. Depois digam um ao outro, em voz alta:

"Aceito nossas diferenças com relação a _____. Reconheço que no passado isso nos causou problemas, e nunca conseguimos resolver essa questão. Como casal, pedimos que Deus nos ajude a lidar com isso, e oramos para que ele nos mostre o benefício mútuo de estarmos unidos dessa forma, e também unidos para seus propósitos".

Coloque a seguinte declaração em um espaço comum, onde vocês consigam visualizar diariamente: "Cada diferença tem um potencial para o deleite".

15
Por que fico na defensiva?

Uma atitude defensiva não é algo que criamos, mas algo que observamos. Simplesmente acontece. Minha esposa e eu às vezes passamos uma noite perfeita em casa, conversando despreocupadamente e desfrutando bons momentos de lazer juntos. No entanto, ela pode dizer ou fazer alguma coisa e de repente eu começo a ficar na defensiva. Algo acontece dentro de mim, estimulando minhas emoções como soldados correndo para defender uma posição estratégica. Esses soldados emocionais gritam ordens e minha atitude dali em diante será impedir o avanço dela naquela área de minha vida. Talvez eu mude de assunto, levando a conversa para um tópico mais agradável, ou talvez coloque minha metralhadora verbal para funcionar e impedir o progresso da discussão naquele assunto. Posso, até mesmo, bater em retirada para outro lugar da casa e esperar que ela não venha a meu encalço. Qualquer que seja minha reação, o fato é que aquele momento descontraído já era. O diálogo agradável terminou; passamos de aliados a inimigos. Nossa intenção não foi interromper um passeio agradável para criar um campo de batalha. Simplesmente aconteceu. Será que somos marionetes nas mãos de monstros emocionais que nos forçam a agir dessa maneira, destruindo nosso diálogo e nossa intimidade? A proposta deste capítulo é demonstrar que podemos compreender nossas reações defensivas, aprender algo sobre nós mesmos a partir delas e encontrar formas de neutralizar seus poderes destrutivos.

As causas das atitudes defensivas

Por que somos tão rápidos em nos defender? Defender significa proteger e fazer oposição. Logo, ficar na defensiva significa *proteger algo* ou *opor-se a alguém*. O comportamento defensivo representa uma barreira para a comunicação. Vejamos o seguinte diálogo entre Bev e seu marido, Jim, quando ele estava de saída para o trabalho.

— Sua gravata está torta — diz Bev.

— E que outra boa notícia você tem para me dar hoje? — respondeu ele com sarcasmo.

— Eu só estava tentando ajudar.

— Não sei como eu conseguiria viver se não tivesse me casado com você — e sai, batendo a porta com violência.

"Por que ele ficou na defensiva tão de repente?", pensou Bev. "Tudo o que disse foi que a gravata dele estava torta. Eu só queria que ele fosse trabalhar bem-vestido."

A atitude defensiva interrompe a comunicação construtiva de modo fatal. O diálogo termina e provavelmente o assunto em questão não voltará a ser mencionado. A reação defensiva representa uma barreira à unidade conjugal, causando distanciamento. Nenhum dos dois fica feliz com essas reações defensivas, porém sentem-se impotentes para impedi-las. Sempre que acontece, deixa aquele sentimento ruim no relacionamento.

Problemas de autoestima

Por que respondemos de maneira tão imediata e impetuosa quando nosso cônjuge diz certas coisas? O motivo mais comum é que nossa autoestima se sente ameaçada pelos comentários do cônjuge.

Por exemplo, Eric cortava cebolas e sua esposa, Jennifer, derramava óleo na panela. Ele saiu para ajustar o volume do rádio e nesse ínterim ela pegou as cebolas e jogou-as na panela de uma só vez. Ao retornar, ele comentou:

— Sabe, existe uma maneira melhor de fazer isso.

— Por que você sempre tem que ser o encarregado de tudo?

— Eu só queria dar uma sugestão. Você sabe que este prato é minha especialidade.

— Então faça sua comida especial — bufou a esposa enquanto saía da cozinha, deixando um marido abismado para trás.

"Que foi isso?", pensou o marido. "Eu só queria dizer que era necessário esquentar o óleo antes de colocar as cebolas." Por causa da atitude defensiva da esposa, ele não conseguiu dar sua sugestão e a noite especial terminou arruinada para ambos.

O que aconteceu aqui? Os comentários dele tocaram um ponto nevrálgico. Todos nós os temos. Assim como a broca do dentista ao encostar no nervo dental envia sinais de dor por todo o corpo, da mesma forma as palavras tocam nervos emocionais, fazendo a mente e o corpo responderem de maneira defensiva. Não é uma resposta pensada, mas involuntária. Não sabemos o que vai acontecer até que aconteça. Muitas vezes nós mesmos ficamos surpresos com nossas atitudes defensivas.

Essas áreas emocionais sensíveis estão conectadas diretamente com nossa autoestima e enraizadas em nossa história pessoal. As particularidades dessas emoções diferem em cada indivíduo. O marido pode ficar na defensiva quando sua esposa sugere algo sobre a forma como ele prepara a refeição. Outro marido aceita a sugestão tranquilamente. A esposa pode ficar na defensiva quando seu marido avisa que ela está dirigindo acima do limite de velocidade. Outra esposa ficará agradecida pelo aviso.

Na ilustração anterior, descobri que a mãe de Eric era uma cozinheira excelente (de acordo com Eric). Ele também possuía habilidades culinárias e era metódico no preparo das refeições. Jennifer via a si mesma como uma pessoa altamente competente, mas sua autoimagem foi ameaçada pelas observações de Eric. Para ela, o marido tinha dito que ela era incompetente.

A agressividade de nossa reação defensiva será proporcional ao sentimento de que nossa autoestima foi ameaçada. Quanto maior a ameaça, mais agressiva a reação. Outro exemplo: um casal saiu com a expectativa de aproveitar as férias juntos. A certa altura, Jan disse a seu marido, George:

— O limite de velocidade é 100 km/h.

George parou o carro abruptamente no acostamento, saiu do carro e disse:

— Está certo, você pega o volante. Eu não quero passar as férias ouvindo como devo dirigir.

Jan não se moveu, e ele repetiu:

— Você dirige.

— Não quero dirigir.

— Ou você dirige ou fica de boca calada — esbravejou o marido. Após alguns momentos de silêncio, tornou a falar: — Não sei por que nossas férias são sempre desse jeito.

Uma reação defensiva tão violenta como essa indica, quase seguramente, que a autoestima de George foi profundamente ameaçada. Ele quer ser visto como um adulto responsável, porém interpreta os comentários da esposa como declarações atrevidas, causando-lhe um sentimento quase insuportável. George procura desesperadamente a aprovação da esposa, algo que o faz sentir-se muito bem consigo mesmo. Porém, ao receber comentários como esse, interpreta-os como críticas e isso o põe na defensiva.

O que Jan desconhece é que o pai de George criticava-o excessivamente pela forma como dirigia quando era adolescente, sempre lembrando-o sobre o limite de velocidade. De fato, George teve dois acidentes, ambos porque estava em alta velocidade. Quando Jan comentou sobre o limite de velocidade, tocou num nervo emocional exposto relacionado a essas memórias. A mensagem que George ouviu expressava claramente: "Você não é um bom motorista, dirige de forma irresponsável e provavelmente causará um acidente".

É típico nos sentirmos justificados por nosso comportamento defensivo. Analisando em retrospectiva, podemos até não gostar da reação que tivemos, mas quase sempre acreditamos que tínhamos o direito de agir como agimos. Gostamos de lembrar-nos da ira santa de Jesus ao virar as mesas dos cambistas do templo. Nossa atitude defensiva parece justificável, pois o outro não tinha o direito de nos machucar daquela maneira. O problema, entretanto, é que o cônjuge não tem ideia de que mexeu numa área emocional problemática.

Jan estava apenas tentando evitar que o marido recebesse uma multa por excesso de velocidade e arruinasse as férias. Somente mais tarde ela percebeu que a multa teria sido menos traumática do que a atitude defensiva do marido.

Todos nós temos áreas emocionais dolorosas que geralmente estão relacionadas à nossa autoestima, autoimagem e valor próprio. Essas áreas dolorosas muitas vezes são definidas por experiências emocionais do passado, principalmente com nossos pais e outras pessoas que fizeram parte de nossa infância. Não raro, não sabemos quais são essas áreas até que o cônjuge as atinja com seus comentários. Na prática, quase não há o que fazer para evitar essas atitudes defensivas. O que podemos fazer é aprender com elas. Caso contrário, esses episódios se tornarão barreiras para a comunicação (falaremos mais sobre isso no capítulo 16). Neste capítulo, estamos nos concentrando em entender como funciona nosso mecanismo de defesa.

Conflitos não resolvidos

Conflitos não resolvidos também podem produzir atitudes defensivas no casamento. Se não resolvermos nossas diferenças, acabaremos nos afastando um do outro e ficando mais vulneráveis às reações defensivas. Casais que não solucionam seus conflitos com o passar dos anos chegam à conclusão de que não são compatíveis, e sim inimigos. Veem um ao outro como adversários e pensam: "O inimigo quer me machucar; portanto, preciso estar sempre em posição de defesa". Nesse sentido, passam a procurar oportunidades para reagir de maneira defensiva. Subconscientemente, aguardam ataques esporádicos e vivem em estado de prontidão para se defender.

Não significa que esses casais nunca tentaram resolver esses conflitos. Periodicamente surgem discussões acaloradas sobre tais conflitos, mas o problema é que nunca chegam a uma resolução. Quando a conversa esquenta e chega a um determinado ponto, abandonam a discussão e retraem-se, deixando o conflito sem solução. Então, quando um dos cônjuges diz algo que tem alguma ligação emocional com aquela situação pendente, o outro reagirá novamente de maneira defensiva.

Às vezes essa situação é intensificada por um sentimento de culpa da parte de um dos cônjuges, ou de ambos. Isso acontece quando um dos dois sabe que fez algo errado, porém não está disposto a mudar seu comportamento. Esse sentimento de culpa o predispõe a ficar na defensiva quando o outro menciona algum assunto relacionado a essa culpa.

Depois de meses ou anos de conflitos não resolvidos, começamos a ouvir uma voz interna nos dizendo: "Casei com a pessoa errada", "Como fui parar nessa enrascada?", "Não consigo entender por que ele/ela é tão incoerente". Esses conflitos não resolvidos nos levam a pensar que somos incompatíveis e que nosso cônjuge não está do nosso lado. Consequentemente, passamos a viver esperando um ataque a qualquer momento e, portanto, preparados para revidar. Quanto mais interpretamos as coisas dessa maneira, mais acreditamos que essa é a verdade e mais desanimados nos sentimos. Essas conversas mentais acabam nos alienando do casamento.

Não estou dizendo que esses diálogos internos são errados; todos nós fazemos isso. Estou sugerindo que, durante essas conversas mentais, devemos tentar abordar acontecimentos e problemas específicos em vez de deixar que esses conflitos não resolvidos nos levem a conclusões generalizadas sobre o casamento e o cônjuge. O caminho para o crescimento conjugal é sempre avançar um passo de cada vez. É mais aconselhável resolver um problema específico do que viver sob um fardo de conflitos não resolvidos.

Privação física

Uma terceira fonte de atitudes defensivas é a privação física. Há mais probabilidade de ficarmos na defensiva quando somos privados de sono, exercícios ou uma dieta adequada. Além disso, muitas pessoas relataram que ficam mais defensivas quando enfrentam uma doença grave. Isso ocorre em virtude de certas mudanças no organismo e talvez de sentimentos depressivos devido à condição física debilitada.

Também podemos ficar defensivos com nosso cônjuge quando outras áreas de nossa vida não vão bem, como, por exemplo, períodos ocasionais de pressão no trabalho ou na igreja, e problemas com os filhos ou pais idosos. Qualquer um desses fatores pode elevar nossa predisposição de ficar na defensiva.

Podemos encontrar maneiras construtivas de corrigir essas situações. Nada substitui uma boa noite de sono, exercícios físicos e uma dieta balanceada. Reduzir o nível de estresse e adotar atitudes construtivas nos ajudará a ficar menos defensivos.

Reações tipicamente defensivas

Quando uma pessoa tem emoções defensivas, geralmente apresenta uma das seguintes reações:

Retaliação verbal

A forma mais comum de expressar sentimentos defensivos é a *retaliação verbal*, isto é, atacar com palavras a pessoa que estimulou nossa atitude defensiva. Lembre-se que o comportamento defensivo envolve dois fatores: proteger e resistir. Em geral, protegemos nosso amor-próprio e resistimos a qualquer coisa ou pessoa que nos ameace nessa área. Portanto, o conteúdo da retaliação verbal quase sempre aponta para um desses dois elementos.

Vamos supor que um casal tenha feito um acordo segundo o qual ele ficará responsável pela manutenção do jardim: cortar a grama, varrer as folhas, podar os arbustos etc. Certo dia o marido chega em casa e vê que os arbustos em frente à varanda foram podados. O sangue lhe sobe à cabeça antes mesmo de abrir a porta e a primeira coisa que diz à esposa é: "Quer dizer que você não pôde esperar eu chegar em casa? Por que tudo tem que ser feito exatamente na hora que você quer? Vai querer cortar a grama também?". Ele sai emburrado, e a esposa fica imaginando se a regra de ouro ainda está em vigor: "Façam aos outros o que vocês desejam que eles lhes façam". A intenção dela era ajudá-lo, mas seu esforço foi recompensado com retaliação verbal.

Observe aqui os elementos de proteção e resistência. O marido quer proteger sua autoestima; sente-se bem por ser capaz de sustentar a família e manter o jardim impecável. Em sua concepção, a atitude da esposa faz dele um fracassado ou no mínimo transmite a mensagem de que ela o vê dessa maneira. Seus soldadinhos emocionais entraram em formação para proteger sua autoestima. Observe também como ele se opõe à esposa, acusando-a de querer humilhá-lo ainda mais ao sugerir que o próximo passo dela será tirar-lhe também a tarefa de cortar a grama. Seu ataque verbal pode ter impedido a esposa de voltar a violar seu território novamente, mas por outro lado a entristeceu profundamente, causando um afastamento entre os dois. A retaliação verbal quase sempre produz efeitos negativos no relacionamento, pois interrompe a comunicação entre o casal. Embora a discussão possa ser breve e o assunto discutido não seja mencionado novamente, ela deixa uma divisão emocional no relacionamento.

As Escrituras falam da insensatez dessas retaliações verbais. Paulo exorta: "Nunca paguem o mal com o mal" (Rm 12.17). Portanto, ainda que o comportamento do cônjuge tenha a intenção de nos machucar (o que geralmente não é o caso), não devemos reagir de maneira negativa. Paulo vai mais longe e diz: "Nunca se vinguem" (Rm 12.19). O autor de Provérbios instrui: "O tolo mostra toda a sua ira, mas o sábio a controla em silêncio" (Pv 29.11). Em Provérbios 20.3 lemos: "Evitar contendas é sinal de honra; apenas o insensato insiste em brigar". Tanto as Escrituras quanto a experiência demonstram que a retaliação verbal destrói a unidade conjugal.

Retraimento

Uma segunda reação defensiva é a atitude de *retraimento*. Nesse tipo de reação, a pessoa se sente emocionalmente perturbada, mas por alguma razão não recorre à retaliação verbal. Simplesmente abandona a situação, talvez resmungando consigo mesma, porém nunca expressando todos os seus sentimentos ao cônjuge. Ela entra em seu mundo particular e pratica aquilo que os profissionais chamam de "diálogo interno", isto é, fica conversando mental ou verbalmente consigo mesma, remoendo aquela situação (talvez muitas vezes) e sentindo cada vez mais mágoa e raiva do cônjuge. Enfurecida por dentro, distancia-se do cônjuge tanto física como emocionalmente.

Alguns cristãos consideram que o retraimento é uma reação defensiva preferível à retaliação verbal. Na verdade, ela pode ser igualmente prejudicial ao relacionamento. Retrair-se e silenciar os sentimentos faz com que tenhamos um diálogo interno defensivo. Além disso, essas emoções reprimidas provavelmente aparecerão em outras áreas da vida, às vezes sob a forma de sintomas físicos como dores de cabeça, dores nas costas, náuseas e distúrbios estomacais. O retraimento nos impede de verificar como funcionam nossas emoções defensivas e, dessa forma, perdemos a oportunidade de aprender com tais experiências.

As Escrituras também reprovam o sofrimento silencioso. Em Mateus 18.15, Jesus nos instrui: "Se um irmão pecar contra você, fale com ele em particular e chame-lhe a atenção para o erro. Se ele o ouvir, você terá recuperado seu irmão". Sem dúvida, esse princípio também se aplica ao casamento. Portanto, se você sente que foi machucado, é sua responsabilidade compartilhar essa percepção com seu cônjuge de maneira positiva em vez de ficar sofrendo em silêncio. Em Efésios 4.31, Paulo admoesta: "Livrem-se de toda amargura, raiva, ira, das palavras ásperas e da calúnia, e de todo tipo de maldade". Por isso, o retraimento e o sofrimento silencioso não são atitudes bíblicas para lidar com nossas emoções defensivas.

Falar por intermédio dos filhos

Casais com filhos dispõem de uma terceira alternativa para demonstrar emoções defensivas: *falar por intermédio das crianças*. Isto é, verbalizamos nossas emoções às crianças em vez de falar diretamente ao cônjuge. "Sabe o que sua mãe fez?" é o começo de uma sessão de defesa emocional. A mãe de Jake usava os filhos para conseguir coisas do marido. Jake detestava ser manipulado dessa forma, mas sentia pena da mãe e geralmente ficava do seu lado. Como resultado, ele e o pai se distanciaram emocionalmente. Mais tarde, quando Jake se tornou um adulto e se casou, sentia-se bastante incomodado quando sua esposa lhe pedia para resolver algum problema entre ela e os filhos, ou quando estes lhe traziam algum problema que estavam tendo com a mãe. Jake aprendeu na prática que falar por intermédio dos filhos não é uma maneira positiva de lidar com emoções defensivas.

É possível que esta seja a atitude mais destrutiva das três, pois envolve não apenas marido e esposa, mas também crianças inocentes. As Escrituras advertem quanto à fofoca, ou seja, pessoas "falando do que não devem" (1Tm 5.13). Predispor a mente de uma criança contra um dos pais por causa das reações defensivas de um adulto é algo bastante injusto. O objetivo emocional da pessoa que adere a esse comportamento é se sentir superior fazendo o cônjuge se sentir inferior. No final, a verdade é que todos saem prejudicados. É desleal para com o cônjuge e destrutivo para as crianças, que ficam presas no meio da situação, magoadas e confusas.

* * *

É óbvio que falar por meio dos filhos, retrair-se em sofrimento e utilizar a retaliação verbal não são atitudes bíblicas para lidar com nossas emoções defensivas. Mesmo assim, a maioria de nós poderá identificar-se com uma ou mais dessas reações. A atitude defensiva é uma reação subjetiva criada para nos defender da dor emocional infligida por alguém ou algo que nos ameaça. Não podemos evitar essas reações, mas podemos aprender a direcioná-las para fins proveitosos. No capítulo 16, veremos como tirar proveito dessas reações defensivas.

Questões para refletir

1. Seu cônjuge às vezes irrita você ou o deixa perplexo?
2. Quando isso acontece, qual é sua primeira reação? Ela se baseia em experiências do passado?
3. Depois do primeiro choque (tanto por ser criticado quanto por ver o comportamento defensivo de seu cônjuge), a raiz do conflito foi identificada e esse reconhecimento resultou em uma solução? Se não resultou, será que um de vocês alterou a voz, se retraiu ou provocou uma reação manipuladora?

Aceitamos

Tire um momento para ler os seguintes versículos:

- Romanos 12.17,19
- Provérbios 29.11
- Mateus 18.15
- Efésios 4.31

De forma breve e tranquila, conversem sobre uma ocasião em que cada um de vocês ficou na defensiva. Reconheça suas reações e respostas, e permita que seu cônjuge explique suas intenções. Como casal, tracem um plano de resposta que incorpore essas verdades bíblicas em sua estratégia, junto com a promessa de colocar em prática esse plano na próxima vez que um de vocês sentir que está na defensiva. Escreva o plano, mesmo que sejam apenas algumas palavras-chave que sirvam de lembrete. No começo será um pouco estranho, mas conforme as situações forem acontecendo e a aderência ao plano aumentar, a confiança também aumentará e uma comunicação honesta e inteligente acabará prevalecendo.

16
Vencer as barreiras da atitude defensiva

As reações defensivas muitas vezes sufocam a comunicação e corroem a intimidade. Conforme me contou uma esposa: "Planejava uma noite romântica com meu marido, quando de repente ele começou a balançar o talão de cheques para mim e disse: 'Se você não parar de gastar tanto dinheiro, iremos à falência'. Fiquei pálida na hora, e todas as minhas ideias para uma noite romântica foram por água abaixo. Passamos meia hora discutindo antes de eu ir para o quarto e chorar até dormir".

Todos nós temos emoções defensivas, mas elas não precisam ser destrutivas. Na verdade, a atitude defensiva pode nos levar a uma comunicação mais produtiva e aprofundar nossa intimidade. O objetivo deste capítulo é ajudar você a aprender a fazer isso.

Encontrando a raiz do problema

Vamos começar procurando compreender as raízes da questão. As plantas não crescem sem raízes, tampouco nossas reações defensivas. Praticamente toda atitude defensiva tem raízes em nossas emoções. Sob esse comportamento se esconde uma história emocional.

Às vezes essas emoções são fáceis de identificar, tornando nossas atitudes fáceis de entender. Por exemplo, no relato apresentado, a esposa se sentiu rejeitada, controlada e com raiva do marido pelos comentários sobre seus gastos. Sua reação defensiva tinha muitas ramificações. Para começar, ela sabia que na semana anterior o marido havia gastado uma grana alta num jogo de tacos de golfe. Logo, achou o comentário dele hipócrita e injusto. Além disso, ele vinha controlando o talão de cheques nos últimos seis meses e queria saber o motivo de certos gastos. Como ela contribuía com a renda familiar tanto quanto ele, percebeu naquela atitude uma tentativa de controlá-la. Refletindo um pouco, outra raiz que identificou com facilidade foram as repreensões de seu pai sobre seus gastos nos tempos de escola. Ela não teve um relacionamento muito amoroso com o pai e agora via o próprio marido se transformando na figura paterna. Essa esposa não precisou ir muito longe para ver as causas de sua atitude defensiva.

Entretanto, algumas emoções estão muito bem enterradas e a atitude defensiva parece desproporcional ao problema em questão. Controvérsias triviais mascaram problemas mais profundos, geralmente questões enraizadas na infância e que emergem na relação conjugal. Phil e Marilyn concordaram que ela trabalharia fora e ele ajudaria com as responsabilidades domésticas. Ela continuaria como cozinheira oficial da casa e ele seria seu assistente, pois ambos estavam de acordo que os dotes culinários dele deixavam a desejar. Três meses depois, Phil foi até a cozinha perguntar à esposa:

— Posso ajudar em alguma coisa?

— Vá fazer qualquer outra coisa, menos ficar por aqui. Pode deixar que eu mesma faço.

— Mas eu só queria ajudar.

— Eu sei, só que você mais atrapalha do que ajuda. Prefiro fazer eu mesma.

E assim Phil vira as costas e sai silenciosamente da cozinha, afastando-se também da intimidade com Marilyn. As vozes interiores começam a falar e ele se sente magoado e confuso.

Depois de muito refletir, Marilyn descobriu que se sente culpada por não ser uma boa mãe para seus dois filhos. Quando Marilyn era jovem, sua mãe era aquela mulher que dedicava todo o tempo aos cuidados do lar, e Marilyn cresceu imaginando que um dia faria o mesmo quando tivesse a própria família. Phil, por sua vez, queria comprar uma casa maior, e isso forçou Marilyn a trabalhar fora para pagar as despesas. É verdade que ela concordou com esse objetivo quando conversaram sobre a casa, mas no íntimo ela não gostou da decisão e ficou magoada com o marido. Também reconheceu que tinha sentimentos de alienação em relação a Phil. A presença dele na cozinha trouxe à memória essa distância emocional. Vendo-o em pé ali, como se fosse uma criança oferecendo ajuda, ela pensou: "Se ele fosse um homem de verdade, ganharia dinheiro suficiente para que eu pudesse cumprir minhas responsabilidades de mãe e esposa". Infelizmente, ela nunca expressou esses pensamentos ao marido.

Desconhecendo essas emoções, Phil não entendeu por que ela não queria sua ajuda. A reação dela intensificou as mágoas que ele guardava, enraizadas em sua própria história. Sua mãe sempre disse para ele se casar com uma mulher que soubesse cozinhar, caso contrário ele morreria de fome. Certa vez sua mãe tentou ensiná-lo a fazer uma torta, mas ele queimou a massa e ela o colocou para fora da cozinha aos gritos. A mensagem ficou bem clara: ele não correspondeu às expectativas da mãe. Além disso, também pensava que não estava à altura das expectativas do pai, que lhe pediu que não cursasse a faculdade de música, argumentando que nunca conseguiria sustentar uma família tocando trompete. Mas Phil tinha muita força de vontade e acabou decidindo-se pela música. E agora sua esposa, cuja aprovação ele busca encarecidamente, lhe diz para ficar longe da cozinha. Assim ele voltou a sentir-se como uma criança rejeitada; só que agora, como adulto, a dor era mais profunda.

Três semanas depois do incidente na cozinha, Marilyn queria saber por que Phil estava tão retraído e desinteressado. Ela achava que não tinha nada a ver com seu pedido para que se retirasse da cozinha. E ela está certa. Nenhum dos dois sabe a razão, porque ele enterrou suas emoções e não a deixou saber que existiam. Esses dois jamais entenderão suas reações até que se disponham a identificar e a compartilhar mutuamente as raízes emocionais desse comportamento defensivo.

Muitos casais nunca chegam à raiz do problema. Todas as suas discussões se concentram nos comentários, como aquele feito na cozinha. Muitas vezes se condenam por ficarem irritados com um comentário tão simples e, então, colocam o assunto de lado, pensando que a causa foi o estresse do trabalho. Após algumas semanas silenciosas, voltam a conversar novamente... até ocorrer um novo episódio. É essencial compreendermos as origens emocionais de nosso comportamento defensivo se quisermos superar essa barreira na comunicação.

Descobrir essas origens emocionais não é algo tão difícil, mas certamente exige uma reflexão deliberada. Analise a situação e pergunte a si mesmo: "Por que fico tão na defensiva quando isso acontece?". Anote as respostas que surgirem em sua mente. Provavelmente as primeiras anotações se concentrarão nas questões mais superficiais. Por exemplo, a primeira resposta de Marilyn foi: "Fico na defensiva porque ele me atrapalha. Ele não me ajuda; só faz meu trabalho ficar mais difícil". Contudo, depois de refletir melhor, percebeu que sua reação defensiva não tinha nada a ver com os dotes culinários do marido, mas com mágoas enraizadas em sua autoestima, ligadas a suas ideias de ser uma boa mãe. Às vezes as origens de nossas atitudes defensivas são encontradas em padrões emocionais que têm pouco a ver com as questões que vemos na superfície.

Outra pergunta que nos auxilia a encontrar essas raízes é: "O que aconteceu em minha infância ou adolescência que pode ter relação com minhas reações defensivas atuais?". Se você se defende de maneira muito intensa, quase sempre as raízes estão nas experiências da infância ou adolescência. Rachel era uma mulher calma, mas três meses depois do casamento seu marido, Brad, assoou o nariz durante o jantar e ela explodiu: "O que está fazendo? Não acredito que você fez uma coisa dessas!". Então ela se levantou da mesa, correu para fora de casa, entrou no carro e foi embora, deixando Brad sentado à mesa totalmente perplexo. Mais tarde, no consultório de aconselhamento, Rachel disse: "Não sei por que, mas aquilo me irrita mais do que qualquer outra coisa. É tão nojento!".

Ao final da sessão, perguntei a Rachel se havia algo em sua infância ou adolescência que estivesse relacionado a isso. Ela disse: "Lembro-me de um episódio, aos dez anos de idade, quando minha avó veio nos visitar. Ela era a pessoa mais extraordinária de todas. Ela era boa comigo, e eu a admirava muito. Certa vez, peguei um resfriado e durante o jantar assoei meu nariz no guardanapo. Minha mãe ficou furiosa comigo e me mandou para o quarto. Foi uma humilhação. E agora, o que minha avó pensaria de mim? Eu me senti como se tivesse traído sua confiança. Pensei que ela nunca mais iria querer sentar-se à mesa comigo novamente. Foi a pior noite de minha vida".

Rachel descobriu as origens de sua reação defensiva quando seu marido assoou o nariz à mesa durante o jantar. Em sua concepção, isso representava o pior tipo de ofensa que Brad poderia cometer. Não estava consciente disso, mas o ato de Brad fez esses sentimentos intensos virem à tona. Após refletir, Rachel conseguiu encontrar a relação entre sua experiência passada e seu comportamento defensivo atual.

Praticamente qualquer indivíduo pode descobrir as origens de seu comportamento defensivo se estiver disposto a refletir sobre sua história pessoal. A maioria não precisará de sessões de psicoterapia para encontrar essas raízes. Vale a pena dedicar tempo e esforço nessa tarefa, pois compreender as raízes emocionais de uma atitude defensiva é essencial para superar as barreiras que impedem a comunicação.

Aprender com nossas atitudes defensivas

Não é pecado ter emoções defensivas, embora nossas reações verbais e nossos comportamentos possam ser pecaminosos. Ainda assim, ignorar nossas emoções defensivas é sempre prejudicial. Essas emoções funcionam do mesmo modo que as luzes no painel de instrumentos do automóvel. Elas chamam nossa atenção e informam sobre coisas que precisam de conserto. Corremos grande perigo se as ignorarmos. Há muito que aprender sobre nós mesmos a partir desses sentimentos defensivos, e há potencial para crescimento no relacionamento conjugal quando o casal conversa honestamente sobre suas atitudes defensivas.

Em Romanos 8.28 lemos: "E sabemos que Deus faz todas as coisas cooperarem para o bem daqueles que o amam e que são chamados de acordo com seu propósito". *Todas as coisas* deve incluir as emoções defensivas. Deus planejou utilizar todas as experiências da vida a nosso favor. O bem supremo que Deus tem em mente é nos fazer parecidos com Cristo (Rm 8.29). Portanto, precisamos nos esforçar ao máximo para cooperar com Deus ao aprender com nossas experiências.

Em primeiro lugar, o que minhas reações defensivas podem me ensinar sobre mim? Comece focalizando sua atenção no episódio e respondendo às seguintes questões:

- *Que emoções senti quando agi de forma defensiva?* Mágoa? Raiva? Decepção? Vergonha?
- *Que mensagem me foi comunicada através da declaração do meu cônjuge?* Que sou inadequado? Idiota? Infantil? Que não significo nada para ele? Que minhas ideias não são importantes?
- *O que minha reação verbal ou comportamental comunicou ao meu cônjuge?* Que ele é idiota? Que não vai me controlar? Que desaprovo totalmente o que fez? Que não vou tolerar isso no futuro? Que não gosto dele?
- *O que minha atitude revelou sobre mim mesmo?* Aqui é onde suas reflexões sobre as origens de suas atitudes defensivas serão úteis. Seu comportamento pode revelar algo sobre seu passado que você já esqueceu há muito tempo. Pode revelar expectativas que você trouxe para o casamento, mas nunca as compartilhou com seu cônjuge.

Outra abordagem é concentrar-se em aspectos gerais de seu casamento que podem estar relacionados com seu comportamento defensivo. As perguntas a seguir podem ser úteis:

- Que atitudes tenho em relação a meu cônjuge que podem explicar meu comportamento defensivo?

- Será que vejo meu cônjuge como alguém intelectualmente inferior a mim?
- Será que o vejo como uma pessoa passiva? Controladora? Agressiva?
- Será que sinto que meu cônjuge falhou comigo de alguma forma?
- Será que me sinto amado e valorizado por meu cônjuge?
- Se eu pudesse pedir a meu cônjuge que mudasse um comportamento ou um jeito de se expressar, o que pediria?
- Que outros aspectos de meu casamento podem ter influenciado meu comportamento defensivo?

Responder a essas questões o ajudará a começar a aprender com suas reações defensivas, ao passo que ignorar o assunto somente o levará a repetir essas atitudes.

Debater o problema

Após refletir sobre seu comportamento defensivo e aprender um pouco sobre si mesmo e suas reações, é hora de marcar uma conversa de nível 5 ("Sejamos honestos") com seu cônjuge, conforme examinamos no capítulo 3. Nesse nível, seu objetivo é ser honesto sem condenar e aberto sem exigir. Deixe espaço para pensamentos e sentimentos diferentes, e procure entender por que seu cônjuge age e sente daquela maneira. Seu objetivo é compreender e buscar formas para crescerem juntos. Espero que seu cônjuge concorde em participar de um debate nesse nível. O ingrediente mais importante aqui é concentrar-se em ouvir o que o outro tem a dizer. Olhe para o cônjuge enquanto ele fala e procure ouvir o que está dizendo. Sinalize com a cabeça para encorajá-lo a continuar. Formule com suas próprias palavras o que você conseguiu entender e peça esclarecimentos. Estabeleça como objetivo compreender os sentimentos de seu cônjuge e por que ele se sente daquela maneira. Quem sabe a oração de Francisco de Assis possa ajudar: "Que eu possa compreender, mais do que ser compreendido". Haverá compreensão se ambos estiverem dispostos a compreender.

Você pode tomar a iniciativa na conversa dizendo: "Ontem à noite eu fiquei na defensiva quando você falou aquilo. Estou tentando aprender com aquela experiência e passei a tarde toda pensando sobre isso, tentando aprender alguma coisa sobre mim mesmo. Creio que compreendi algumas coisas e gostaria de compartilhá-las com você. Você tem um tempinho para conversarmos?". Se o momento não for oportuno, procure agendar outro horário.

Quando estiver conversando no nível 5, lembre-se de empregar frases em primeira pessoa: "Obrigado por reservar esse tempo para conversar comigo. Percebi que minha reação ontem à noite foi bastante defensiva. Refleti um pouco e acho que entendi por que agi daquela maneira. Gostaria de lhe contar o que se passou comigo naquele momento. Mas, antes de começar, saiba que não gostei das palavras que usei nem da forma como agi. Quero aprender maneiras melhores de me expressar quando fico na defensiva, mas também espero que você procure me entender para podermos continuar crescendo juntos". Então, fale da maneira mais clara possível sobre as coisas que entendeu. Compartilhe experiências de sua infância que possam estar relacionadas ao incidente e à forma como o comportamento do cônjuge ameaçou sua identidade pessoal.

Se você é o cônjuge que está ouvindo, lembre-se de que sua maior responsabilidade nesse momento é ouvir com empatia.

Olhe o cônjuge nos olhos enquanto ele fala. Adote uma postura corporal que diga: "Eu me preocupo com você. Pode falar". Não o interrompa, não mude de assunto. Deixe que fale e explique claramente porque agiu daquela maneira. Repita o que ele disse para ter certeza de que o entendeu corretamente. Depois das explicações, você pode dizer: "Se eu entendi bem, o que você está querendo dizer é...", e então repita o pensamento do cônjuge da melhor maneira possível. Deixe seu cônjuge continuar até que finalmente ele diga: "Sim, é isso mesmo o que estou querendo dizer". A partir desse momento, você terá o quadro geral da situação e poderá compreender o que se passa na mente de seu cônjuge. Esteja aberto para os *insights* que seu cônjuge está compartilhando. Pedro instruiu os maridos a terem consideração para com a esposa (1Pe 3.7), e o autor de Provérbios observou: "O tolo não se interessa pelo entendimento; só quer saber de expressar suas opiniões" (Pv 18.2).

Paulo exorta: "Aceitem-se uns aos outros como Cristo os aceitou, para que Deus seja glorificado" (Rm 15.7). Marido e esposa dão glórias a Deus quando se acolhem mutuamente. Esse tipo de conversa também produz muitos frutos emocionais. Se perceber que seu cônjuge entende suas necessidades, provavelmente você se sentirá amado por ele e a intimidade aumentará. Por outro lado, o sentimento de que não nos entendemos nos mantém afastados.

Explorar as mudanças

Agora que cada um compreende melhor as atitudes defensivas do outro, é hora de descobrir maneiras de se relacionar de modo construtivo. Ao descobrir os pontos sensíveis um do outro e perceber como eles estão relacionados com sua autoestima, haverá motivação para encontrar novas formas de se expressar ou de agir que não representem uma ameaça para a autoestima do outro cônjuge. Se você é o cônjuge ofendido pelo comportamento defensivo de seu parceiro, poderá sugerir a ele uma maneira melhor de lidar com a situação no futuro. A intenção é aprender a compartilhar ideias sem estimular reações defensivas no cônjuge.

Por exemplo, diga: "Quando você começa uma frase dizendo que eu deveria fazer isso ou aquilo, age como se fosse meu pai ou Deus. Eu me sinto uma criança desse jeito. Racionalmente sei que não é isso o que você está dizendo, mas é assim que me sinto. Por isso, no futuro seria melhor se você dissesse: 'Em minha opinião...' ou 'Acho que seria bom para mim se...'. Acredito que não reagirei de modo tão defensivo se você estiver apenas compartilhando suas opiniões, ou transmitindo informações".

Outro princípio importante para neutralizar atitudes defensivas é aprender a solicitar em vez de exigir. A frase a seguir provavelmente estimulará uma atitude defensiva: "Aquelas calhas vão cair do telhado a qualquer momento se você não limpá-las. Já tem até árvores crescendo lá dentro". Seu cônjuge reagirá de forma menos defensiva se você fizer uma solicitação mais branda: "Você acha que seria possível limpar as calhas neste final de semana?". O primeiro exemplo representa uma exigência; o segundo, um pedido. Exigências geralmente estimulam reações defensivas.

Criamos um ambiente emocional mais propício à intimidade quando acolhemos um ao outro, compartilhando nossas emoções e as causas de nossas reações. Não culpe a si mesmo nem a seu cônjuge por terem reações emocionais defensivas. Antes, procurem aprender algo com esses incidentes em conversas abertas e amorosas. Se fizerem isso, esses episódios ocorrerão com menos frequência. Ao aceitar os sentimentos do outro e buscar novas formas de se relacionar, você está aprendendo a desenvolver a autoestima do seu cônjuge. E você ficará menos defensivo quando perceber que seu cônjuge o apoia, o valoriza e acredita em você.

***

Quando afirmamos nosso valor próprio e o valor de nosso cônjuge, obedecemos a um dos dois maiores mandamentos bíblicos: "Ame o seu próximo como a si mesmo" (Mc 12.31). Deus deseja que amemos o outro visando a edificação mútua, não que nos destruamos com retaliação verbal e espírito crítico. Sentir-se defensivo não é pecado, mas as atitudes defensivas podem nos levar a pecar. Precisamos nos valorizar e valorizar nosso relacionamento conjugal a ponto de prestarmos atenção a nossos sentimentos. Não devemos permitir que atitudes defensivas se tornem obstáculos à comunicação e à intimidade. No capítulo 17, visitaremos o jardim do Éden com o objetivo de aprender o padrão de comunicação e intimidade que Adão e Eva tinham antes de o pecado entrar no mundo.

Questões para refletir

1. Geralmente, a raiz do comportamento defensivo não está no argumento prevalecente — é algo muito mais profundo. Depois de tirar um momento para refletir sobre uma ocasião em particular, pergunte a si mesmo: "Por que fiquei tão defensivo em relação a isso?".
2. Você percebe que algumas palavras, frases ou mesmo expressões faciais funcionam como "gatilhos" que

disparam uma intensa reação defensiva? Eles suscitam lembranças de algo ou alguém ligado a sua infância?
3. Pense sobre esta declaração: "Sentir-se defensivo não é pecado, mas as atitudes defensivas podem nos levar a pecar". Você concorda ou discorda? Por quê?
4. Cite algo que você fez esta semana para incentivar seu cônjuge (verbalmente ou não).

Aceitamos

Se não forem feitos com honestidade, as conversas sugeridas neste capítulo e o plano de ação descrito na sessão "Aceitamos" do capítulo 15 não fluirão tranquilamente. E uma conversa de nível 5 tem tudo a ver com honestidade, certo? Memorize as palavras de Francisco de Assis: "Que eu possa compreender, mais do que ser compreendido". Se você começar a sentir algum tipo de tensão ao participar dessas discussões delicadas, pare a conversa e diga essas palavras em voz alta para seu cônjuge. Respire fundo e retome a conversa.

17
Intimidade: nu e desinibido

A fim de compreendermos melhor a intimidade conjugal, convido-o para voltar comigo ao jardim do Éden. O relato bíblico de Gênesis é curto, porém revelador. Antes da criação da mulher, Adão possuía um lugar para morar (2.8-9), uma profissão (2.15,19-20), uma ordem para obedecer (2.16-17) e comunhão direta Deus. Na sociedade conturbada em que vivemos hoje, muitos homens considerariam isso o paraíso. Na visão de Deus, contudo, ainda faltava alguma coisa.

O que faltava a Adão?

Quer Adão soubesse disso ou não, a verdade é que ele ainda não tinha experimentado outra dimensão da vida. Talvez Deus estivesse despertando esse sentimento em Adão quando lhe pediu que desse nome a "todos os animais selvagens e todas as aves do céu" (Gn 2.19). É possível que, ao observar cada casal de animais, Adão tenha percebido que não possuía uma companheira, uma vez que todos os animais viviam em pares e ele estava só.

Em resposta à solidão de Adão, Deus criou Eva e instituiu o casamento. Quando Adão a viu pela primeira vez, exclamou: "Esta é osso dos meus ossos, e carne da minha carne! Será chamada 'mulher', porque foi tirada do 'homem'" (Gn 2.23). Quando acordou de um sono profundo e observou a criação de Deus, Adão reconheceu que Eva havia sido feita para ele.

Sua análise é bastante reveladora, pois ele viu na mulher sua contraparte, alguém criado a partir dele, porém com uma existência separada. Essa ilustração simples da criação é o cerne da natureza da intimidade conjugal.

Intimidade não é uniformidade. Quando nos tornamos íntimos um do outro, não significa que nos tornamos idênticos, que há perda de individualidade ou que ocorre uma espécie de fusão em que perdemos nossa personalidade. Pelo contrário, é essa qualidade de sermos únicos, separados, que possibilita a intimidade. Se fôssemos idênticos, não haveria nada para descobrir, nada de novo para experimentar, nenhum prazer para explorar. Porque somos diferentes, há potencial para descobrir e explorar, um processo empolgante que confere uma nova dimensão ao casamento. São duas pessoas interagindo mutuamente, descobrindo e sendo descobertos. Isso é intimidade!

Algo no ser interior de Adão respondeu a algo no ser interior de Eva. Não foi um encontro superficial, mas um coração humano descobrindo outro coração humano, um ser que estava mais próximo dele do que qualquer outra coisa no universo. Eva foi criada de modo diferente dele, não a partir do pó, mas proveniente de sua própria costela.

Adão chamou-a de mulher, não de homem. Se a tivesse chamado de homem, ela não passaria de uma réplica dele. Em vez disso, chamou-a de mulher, "porque do homem foi tirada". Eram ligados um ao outro, porém diferentes; únicos, porém complementares. Ela era sua correlata, alguém com quem Adão podia relacionar-se, entender e ser entendido, comunicar-se no mesmo nível. Também podia ter intimidade com Deus, pois era uma pessoa inteligente, formada à imagem do Criador e, portanto, a única entre as criaturas capaz de se relacionar com o homem no mesmo nível de intimidade.

Um dos ingredientes essenciais da intimidade é permitir que o parceiro seja quem ele é. A intimidade nunca deve ser interpretada como um esforço para que o outro seja moldado conforme nossas ideias, nosso jeito de pensar. O propósito da intimidade não é reduzir o outro a uma cópia de nós mesmos. Na intimidade, procuramos nos aproximar, desfrutando as diferenças um do outro, em vez de tentar eliminá-las. Homens e mulheres são diferentes e não devemos, nem mesmo com boas intenções, tentar acabar com essas diferenças.

A outra metade da frase de Adão refere-se à afinidade. Quando disse: "É osso dos meus ossos e carne da minha carne", Adão expressou seu sentimento de afinidade com a mulher. Ela era radicalmente diferente de todos os animais aos quais ele havia atribuído um nome. Era muito mais do que apenas uma "amiga", pois estava diretamente relacionada a ele. Na verdade, Eva supria uma carência da qual Adão não tinha consciência. Ela era a resposta ao seu desejo por companhia, o desejo por alguém com quem ele pudesse se relacionar de igual para igual.

Alguns diriam que o relato bíblico sobre a criação de Eva a partir da costela de Adão indica que a mulher é um ser inferior ao homem. No entanto, nenhuma passagem do texto bíblico apresenta a ideia de inferioridade. Pelo contrário, a forma como Eva foi criada mostra nossa capacidade de ter intimidade. O fato de Deus ter escolhido criar Eva a partir da costela do homem é outra indicação da sabedoria divina e de sua intenção de que haja intimidade profunda no casamento. Se Deus tivesse criado Eva "do pó", como fez com Adão, talvez ela teria as características de uma mulher, mas não teria ligação física, emocional e espiritual com Adão. Em seu ato criativo, Deus colocou dentro do homem e da mulher um desejo natural pelo outro: afinidade, relacionamento e o potencial para uma intimidade extraordinária. Nada no relato bíblico da criação sugere inferioridade. Antes, a ênfase é a intimidade.

É por causa dessas duas realidades — semelhanças e diferenças — que o homem é instruído a deixar pai e mãe e se unir à sua mulher (Gn 2.24). A mulher é ligada ao homem porque foi criada a partir dele. Homem e mulher possuem um anseio profundo pela companhia um do outro. Fomos feitos um para o outro. Negar nossas semelhanças é negar a base de nossa humanidade. Fomos formados pelo mesmo Deus, a partir de uma mesma estrutura, com o propósito de nos relacionarmos um com o outro. Por outro lado, concentrar-nos nas semelhanças e negar as diferenças é uma tentativa inútil de negar a realidade. Estamos falando de cooperação, e não de competição. Não fomos feitos para competir, mas para completar um ao outro. Adão encontrou em Eva um lugar para descansar, um lar, uma família, enfim, um ser humano relacionado a ele de forma intensa e exclusiva. E Eva encontrou o mesmo em Adão.

O paraíso matrimonial

Como era a vida desse primeiro casal? A descrição bíblica é curta: "O homem e a mulher estavam nus, mas não sentiam vergonha" (Gn 2.25). O pensamento de que "uma imagem vale mais do que mil palavras" certamente pode se aplicar aqui. Tente imaginar a cena: homem e mulher juntos, nus, desinibidos. Essa é a melhor ilustração da intimidade conjugal: duas pessoas distintas, iguais em valor, profundamente ligadas entre si por laços físicos, emocionais e espirituais, totalmente transparentes e sem medo de serem conhecidas. A esse tipo de abertura, aceitação, confiança e paixão atribuímos o nome de *intimidade*.

A ênfase recai sobre a transparência e a abertura, a liberdade de conhecer e ser conhecido. É claro que o versículo se refere, primeiramente, à nudez, mas também fica implícita uma nudez emocional, espiritual e intelectual. Ou seja, transparente a ponto de ser totalmente conhecido por outra pessoa. No entanto, como criaturas decaídas e egoístas, muitas vezes evitamos ser conhecidos, pois isso implica a possibilidade de sermos condenados e rejeitados. Temos medo de que nosso cônjuge não goste de nós quando nos conhecer por inteiro. Por causa do pecado, portanto, é quase impossível imaginar que podemos ser totalmente conhecidos por outrem. Somos bem treinados para mostrar às pessoas apenas aquelas coisas que nos fazem ser aceitos, escondendo nossa natureza egoísta e pensamentos pecaminosos. Essa atitude surgiu como uma técnica de autopreservação neste mundo decaído, mas limita o nível de intimidade que podemos experimentar com nosso cônjuge. Mesmo como cristãos, talvez nunca conseguiremos recuperar o nível de intimidade que havia no paraíso. Não podemos, porém, abandonar o potencial de obter níveis mais profundos de intimidade, pois estaríamos nos desviando conscientemente do plano original de Deus.

Você já imaginou como eram as conversas de Adão e Eva? Será que ele contou a ela tudo o que havia acontecido antes de ela ser criada? Será que lhe mostrou todos os animais que havia nomeado? Será que compartilhou suas técnicas para cuidar do jardim? Durante o dia, quanto tempo passavam juntos e quanto tempo separados? A Bíblia não nos fornece essas informações, mas podemos supor que, quando estavam juntos, tinham conversas reveladoras. Uma vez que não havia o medo de ser conhecido, eles podiam compartilhar todos os assuntos; não havia nada para se envergonhar.

É difícil ler o relato bíblico sem sentir certo anseio de voltar ao paraíso. Esse sentimento nos motiva a buscar e encontrar aquele homem especial ou aquela mulher incrível com quem podemos compartilhar a vida. Esse desejo por um relacionamento íntimo é o que nos leva a fazer votos intensos e apaixonados quando nos casamos.

O jardim do Éden em nossos dias

Será que em nossa realidade atual há alguma experiência que se compare com a alegria de Adão e Eva no Éden quando viram um ao outro pela primeira vez? Acredito que sim: a experiência que geralmente chamamos de "estar apaixonado". Essa é uma experiência emocional e espiritual completamente espontânea, a mesma que ocorreu a Adão e Eva quando se encontraram. A experiência de se apaixonar não é fabricada pelo ser humano. Está absolutamente fora de nosso alcance. Acontece com cristãos e não cristãos e tem os mesmos elementos daquele encontro inicial de Adão e Eva:

- Sentimento de encanto.
- Sentimento de pertencer um ao outro.
- Percepção de que foram feitos para ficarem juntos.
- Sentimento de que algo dentro de nós mexe com algo dentro do outro.
- Sentimento de que Deus planejou nosso encontro.
- Vontade de acolher o outro, de compartilhar nossos desejos mais secretos e saber que nos amaremos para sempre, não importa o que aconteça.
- Disposição de nos entregarmos totalmente ao outro.

Em nossa sociedade contemporânea, que associa o ato de se apaixonar predominantemente ao sexo, à lascívia e à exploração, muitas vezes perdemos o verdadeiro amor de vista. Em todo amor verdadeiro, porém, existe a semente do autossacrifício e da abnegação. É desse tipo de amor que estou falando. As Escrituras nos dizem: "Esse amor não tem medo, pois o perfeito amor afasta todo medo" (1Jo 4.18). Não temos medo de nos revelar porque sabemos, no íntimo, que seremos aceitos. Ainda que nos primeiros estágios do namoro ocultemos muitas coisas, quando estivermos realmente "apaixonados" haverá uma pitada de nudez. É esse tipo de amor que nos dá coragem para fazer votos de compromisso na cerimônia de casamento. Será que um homem e uma mulher que não se amam conseguiriam fazer votos dessa natureza?

Você consegue se lembrar daqueles primeiros dias quando experimentou essa sensação de paixão por seu cônjuge? Lembra-se das promessas que fez? "Irei com você para onde for", "Nada do que disser me fará deixar de amar você", "O que eu mais quero na vida é o seu bem". Ler algumas cartas de amor que escreveu naqueles dias talvez possa ajudá-lo a se lembrar do tipo de autossacrifício que um dia você disse que faria. Provavelmente as cartas expressavam o sentimento de pertencer um ao outro, reconhecendo que o fato de vocês estarem juntos era obra de Deus. "Posso ser totalmente honesto com você." Nenhuma outra convicção poderia levar um casal a assumir um compromisso tão sério quanto o casamento.

Embora seja impossível recuperar a transparência que havia no Éden, ainda percebemos em um relacionamento amoroso um reflexo daquele casamento original. Como no restante da criação, a imagem de Deus encontra-se distorcida por causa da queda da humanidade, mas ela não foi destruída. Ainda refletimos a criação de Deus de muitas maneiras.

Infelizmente, muitos casais experimentam apenas por um breve momento essa pitada de transparência. Como disse um marido: "Não sei o que aconteceu depois que nos casamos. Antes, ela era tão amorosa, cuidadosa e apaixonada. Depois, tornou-se crítica e exigente". A esposa desse homem respondeu: "Antes do casamento, ele era tão prestativo, só pensava em mim. Depois, foi como se não ligasse mais; todo o resto era mais importante para ele. Como é possível alguém mudar desse jeito?".

Muitas pessoas concordam com os sentimentos descritos por esse casal. Na verdade, o mesmo acabou acontecendo com Adão e Eva.

* * *

Às vezes pode ser proveitoso reviver os dias de namoro, quando ambos estavam loucamente apaixonados um pelo outro. Pense em escrever algumas linhas expressando suas emoções e seu comportamento naquela época. Como você via seu cônjuge? Compare com a forma como o vê hoje. Quais eram seus planos para o futuro? Se seus sonhos não se realizaram como você imaginava, o que aconteceu? Essa reflexão nos leva ao capítulo 18, em que abordaremos a triste realidade do "paraíso perdido".

Questões para refletir

1. Após ler este capítulo, leia Gênesis 2.18-25. Como se trata de uma passagem familiar, é fácil ler de forma desatenta. Por isso, leia-a como se nunca tivesse lido antes.

Cite duas ideias/verdades que se destacaram, ou dois pontos que fizeram você refletir (se forem mais do que dois, melhor ainda!).
2. Descreva uma ocasião ou padrão em seu casamento no qual você normalmente procura causar uma boa impressão. Seria isso uma forma de pecado?
3. Você diria que está se apaixonando mais ou deixando de se apaixonar desde o dia em que se casou? Por que e como?

Aceitamos

Meditem em 1João 4.18: "Esse amor não tem medo, pois o perfeito amor afasta todo medo. Se temos medo, é porque tememos o castigo, e isso mostra que ainda não experimentamos plenamente o amor". Separem algumas lembranças de seus primeiros momentos de namoro e casamento: álbuns, fotos, ingressos, cartões etc. Falem sobre as memórias associadas a essas recordações. O que vocês estavam sentindo? Vocês se lembram sobre o que conversaram? Foi em algum desses momentos que vocês perceberam que ficariam juntos para sempre, ou isso aconteceu progressivamente? Agora fiquem juntos na frente de um espelho, depois de olhar para o casal das fotos, e, com 1João 4.18 em mente, respondam: *O que aconteceu conosco?*

Para alguns, as respostas serão agradáveis e positivas; para outros, as respostas talvez sejam dolorosas. Muitos simplesmente dirão: "Eu não sei". Talvez você sinta medo da reação do seu cônjuge, ou talvez não seja capaz de dizer o que o está incomodando.

18
Então surgiram as roupas

A imagem de transparência no jardim do Éden desfigurou-se rapidamente. Eva ainda era carne e osso de Adão, mas eles já não andavam nus. Fizeram cintas com folhas de figueira para cobrir o corpo. Esse ato de ocultação também afetou seu relacionamento emocional, intelectual e espiritual. A transparência de pensamentos e emoções deixou de existir. O mesmo aconteceu com o relacionamento espiritual com Deus. Eles se embrenharam entre as árvores quando Deus veio visitá-los, pois tinham algo a esconder. Tiveram vergonha de aparecer na presença de Deus, pois haviam traído sua confiança. É essa traição da confiança que nos leva a nos esconder de Deus e dos outros. Quando buscamos fazer o que é certo e viver de acordo com os ensinamentos das Escrituras, desejamos ter um relacionamento aberto com Deus. Contudo, ao transgredir conscientemente as doutrinas bíblicas e negligenciar os mandamentos divinos, nos sentimos mais à vontade longe da igreja e de qualquer coisa que nos lembre de Deus.

Por que tantos casais hoje têm tão pouca intimidade após dez ou quinze anos de casamento? Nos primeiros anos passavam horas juntos, conversando e ouvindo. Raramente se passava uma semana em que não saíssem para caminhar, fazer um piquenique ou simplesmente passar a tarde sentados na grama conversando.

O que aconteceu com aquela sensação de descoberta, acolhimento e desejo de proximidade? Provavelmente a mesma coisa que aconteceu no jardim do Éden. O pecado criou um espírito de medo, desconfiança ou culpa. Agora havia algo do que se envergonhar, algo para esconder. Não foi possível manter a sinceridade, pois isso resultaria em julgamento. Surgiu a necessidade de se protegerem, de se retraírem, de ficarem longe um do outro. Não percebem mais as semelhanças, mas as diferenças. Em vez da união — "osso dos meus ossos e carne da minha carne" — sentem a separação. É quase inacreditável que fossem tão próximos. O egoísmo toma o lugar do amor.

A mesma coisa que ocorreu no jardim ocorre conosco. Eva colocou seus desejos egoístas no lugar do amor por Adão. E Adão colocou seus desejos egoístas no lugar do amor por Deus. O amor sempre busca o interesse da outra pessoa, mas o egoísmo coloca a própria pessoa no centro do universo e a busca por seus desejos passa a ser a coisa mais importante. Quando o egoísmo substitui o amor, nosso comportamento e nossas palavras demonstram que nos sentimos culpados, envergonhados e temerosos de ser transparentes um com o outro. Sabemos que ser transparente é ser conhecido, e que ser conhecido é ser julgado e condenado.

Esse processo geralmente começa nas pequenas coisas. O marido quer ir à academia para exercitar-se, mas a esposa quer ir com ele comprar toalhas novas. No final ele decide ir à academia de qualquer jeito, e assim começa a surgir um muro entre eles. Ele quer sexo, mas ela quer assistir a um filme. Outro tijolo é colocado no muro. Muitos casais deixaram que essa forma autocentrada de viver ganhasse espaço durante os anos, até chegar ao ponto de esconderem a maior parte de seus pensamentos e emoções. Aquilo que revelam um ao outro é apenas a ponta do *iceberg*; a maioria de seus pensamentos e sentimentos está escondida sob a superfície. Como disse um marido: "Se eu disser a ela como me sinto, provavelmente ela vai me deixar", e sua esposa: "Temo dizer a ele o que penso porque tenho medo que fique com raiva de mim". Obviamente esse casal tem pouca intimidade conjugal.

Nossas inseguranças (ou sentimento de vergonha) fazem com que nos cubramos com roupas, para não sermos conhecidos e rejeitados. Não queremos ser machucados e, por isso, evitamos nos expor. Paramos de compartilhar tudo o que pode levar o outro a nos rejeitar. Alguns de nós utilizamos tantas camadas de roupas emocionais que o cônjuge não faz ideia de quem somos de fato. Nossos pensamentos, desejos, sentimentos e frustrações estão todos enterrados sob essas crostas de proteção. Magoamos e fomos magoados, ofendemos e fomos ofendidos. Muitos casais não conseguiram lidar com essas mágoas, e a solução foi vestir camadas de retraimento e se esconder do cônjuge.

Voltemos, porém, ao jardim do Éden. Quanto tempo Adão e Eva ficaram nus? Até o dia em que pecaram. As Escrituras afirmam: "Naquele momento, seus olhos se abriram, e eles perceberam que estavam nus. Por isso, costuraram figueiras umas às outras para se cobrirem" (Gn 3.7). Esconderam-se de Deus, e quando ele perguntou a razão disso, Adão respondeu: "Ouvi que estavas andando pelo jardim e me escondi. Tive medo, pois eu estava nu" (Gn 3.10). Houve um motivo para ficarem envergonhados. Após experimentar o medo, o casal não pôde mais tolerar a nudez. A culpa foi intensa demais; a vergonha, insuportável. Fugiram um do outro e de Deus. A intimidade perdeu sua pureza.

A primeira coisa que Adão fez foi culpar Eva (3.12), que, por sua vez, culpou a serpente (3.13). Antes de o dia terminar, Deus anunciou as consequências daquele pecado, preparou roupas de peles para cobri-los e os expulsou do jardim. Por vezes fico me perguntando o que Adão e Eva disseram um ao outro depois que Deus foi embora no final daquele dia. O paraíso se tornou uma lembrança e a dor, uma realidade: para Eva, dores ao dar à luz; para Adão, dores ao cultivar a terra. E, para ambos, a intimidade passou a exigir esforços conscientes. Se quisessem ficar juntos e experimentar a alegria da unidade, teriam de passar pela dolorosa experiência da confissão e do perdão. Sem essas duas condições, as lágrimas e a vergonha continuariam a mantê-los separados.

A Bíblia fala muito pouco do relacionamento de Adão e Eva após o pecado. Sabemos que fizeram sexo, pois deram à luz filhos e filhas (Gn 5.4), mas não sabemos qual era o nível de abertura ou a profundidade dessa relação. Será que Adão ficou culpando Eva pelo pecado? Será que eles perdoaram um ao outro? Quanto tempo levou para reconstruírem a confiança? Será que o relacionamento deles com Deus foi totalmente restaurado? Em caso afirmativo, é possível que o casamento deles tenha sido completamente restaurado. Não temos como ir além das especulações.

O que podemos aprender com a experiência deles é que nenhum casal é capaz de experimentar níveis mais profundos de intimidade sem estar unido a Deus. É por causa desse relacionamento rompido com Deus que sentimos medo e vergonha quando estamos frente a frente um com o outro. Se voltarmos para Deus, confessando nossos pecados e recebendo perdão, então haverá potencial para encararmos nosso cônjuge com essa mesma abertura. Manter nossa integridade com Deus é essencial para ter intimidade genuína no relacionamento conjugal.

Depois que o espaço para a intimidade é restabelecido por meio da confissão e do perdão, continuamos a reconquistar o paraíso por meio de uma comunicação sincera e amorosa. Nossos erros passados nos mantêm alertas para a capacidade de magoar um ao outro, mas não devemos permitir que esses erros nos impeçam de buscar o ideal de Deus para a intimidade conjugal. Oramos diariamente para que Deus nos encha o coração de amor por nosso cônjuge, permitindo-nos ser um canal do amor divino. Enfrentamos nossos medos com honestidade. Ao compartilhar sobre esses medos com o cônjuge, esperamos obter afirmação, encorajamento e apoio. Como criaturas decaídas, reconhecemos que possuímos o potencial para nos machucar mutuamente, para desistir do amor e voltar a viver de maneira egoísta. Não é negando nossos erros que conquistaremos a intimidade, mas sim reconhecendo nossas falhas e pedindo perdão. Essa disposição para lidar com nossos erros é o que mantém vivo o potencial para a intimidade. Quando falhamos em reconhecer nossos pecados contra o outro, destruímos totalmente o potencial para a intimidade.

O caminho de volta para a intimidade é o caminho de volta para o amor. Começa com uma disposição de confessar nossa maneira egoísta de viver e pedir perdão e misericórdia: primeiro a Deus, depois ao cônjuge. Depois disso, vem a decisão de pedir a Deus que derrame amor em nosso coração (Rm 5.5) e nos permita ser seu instrumento para amar nosso cônjuge. Com isso voltamos ao elemento inicial da atração mútua: o amor genuíno. Para aqueles que reconhecem que seu casamento se baseava no egoísmo e não no amor verdadeiro, é justamente a descoberta do amor verdadeiro que os conduzirá à intimidade genuína.

Somente Deus tem poder para nos dar esse tipo de amor, e ele prometeu dá-lo a todos que pedirem. Ele disse que é nosso dever amar uns aos outros (Ef 5.25; Tt 2.3-4). Deus jamais nos pediria algo que não nos capacitasse a fazer. Amar é uma escolha, uma atitude, uma forma de pensar e de agir com o outro. Quando decidirmos trilhar o caminho do amor, Deus nos dará a capacidade de seguir adiante. Quando redescobrirmos o amor trilhando o caminho da confissão e do perdão, voltaremos a experimentar um ambiente em que a intimidade pode se desenvolver, em que há espaço para sermos sinceros e não reprovados, em que podemos perdoar e acolher, em que recuperamos o sentimento de que pertencemos um ao outro.

Não estou sugerindo que o perdão de Deus nos leva de volta ao jardim do Éden. Isso não aconteceu com Adão e Eva, e não acontecerá conosco. Estou afirmando, porém, que Cristo restaurou nosso relacionamento com Deus. Podemos voltar a nos relacionar com ele como nosso Pai, e ele pode nos receber como filhos. O acolhimento, a liberdade e a alegria de sua presença também podem ser nossos. Continuamos sendo criaturas decaídas e propensas a pecar. No entanto, ele nos alcança com seu amor e nos oferece perdão, além da capacidade de vivermos como pessoas "regeneradas". É essa comunhão restaurada com Deus e a visão de uma futura redenção em Cristo que torna a vida não apenas tolerável, mas prazerosa.

Nunca alcançaremos em nosso casamento o mesmo nível de transparência que havia entre Adão e Eva antes da queda. Não obstante, por causa de Cristo e da realidade do perdão, podemos ter um grau de intimidade que os não cristãos desconhecem. Buscamos esse ideal bíblico porque acreditamos que Deus nos guia nessa direção. O apóstolo Paulo nos ensina que "Deus faz todas as coisas cooperarem para o bem daqueles que o amam e que são chamados de acordo com seu propósito", que é nos tornar semelhantes a Cristo (Rm 8.28-29). Nosso objetivo é alcançar esse ideal.

De modo semelhante, aspiramos alcançar o padrão original de Deus para o casamento. Esse ideal nos dá esperança e nos mostra o que um casamento pode ser. Alguns perguntam, como Megan: "Será que conseguirei confiar nele de novo? Eu confiava tanto, mas agora essa confiança foi traída. Não sei se conseguirei fazer isso novamente". A resposta é sim. A confiança se baseia na convicção de que sou amado, de que meu cônjuge busca meus interesses. A confiança é destruída quando o comportamento do cônjuge mostra que minha convicção era infundada: o outro escolheu satisfazer seus próprios interesses em vez de me amar. Logo, o comportamento dele destruiu minha confiança.

Quando um dos cônjuges rompe a aliança conjugal, ou seja, quando age de modo egoísta e não altruísta, o resultado inevitável é a perda de confiança. Quando meu comportamento mostra que estou colocando meus interesses acima dos interesses de minha esposa, abandonei o caminho do amor. A partir disso, ela perderá a confiança em minhas palavras e promessas. Essa confiança não será restaurada com simples promessas de mudanças. Renascerá somente por meio de meu comportamento, indicando que me arrependi genuinamente e que, de fato, a amo.

Assim, a confiança pode ser restaurada por meio da inversão do processo: primeiro, com a confissão do erro e a disposição de perdoar; depois, voltando ao caminho do comportamento amoroso. Por meio de palavras e atos, damos prova de que buscamos o interesse do cônjuge. Depois de algum tempo persistindo no caminho dos atos de amor, veremos o renascimento da confiança.

A confiança é como uma planta frágil que, quando destruída, parece o cepo de uma planta que foi arrancada da terra.

Com o tempo e os cuidados apropriados, porém, pode voltar a crescer e florescer. O desenvolvimento dessa confiança mútua faz parte da formação de um ambiente em que a intimidade pode ser experimentada.

Os cônjuges que reconhecem que estão mais distantes do que íntimos, isto é, mais separados do que próximos, mais egoístas do que amorosos e, portanto, mais solitários do que unidos, encontram-se numa encruzilhada. Precisam tomar uma decisão: continuar separados e solitários, ou retomar o caminho que foi perdido e, quem sabe, conquistar novos caminhos.

Chamamos essa decisão de *compromisso*: um ato espontâneo no qual duas pessoas decidem andar juntas e, com a ajuda de Deus, tomam as medidas necessárias para restaurar a intimidade. Isso leva tempo. Os processos de confissão, perdão, amor e confiança não ocorrem automaticamente. Antes, são passos que, dados um de cada vez, ajudam a reconstruir a intimidade no relacionamento conjugal.

A Bíblia ensina a realidade do perdão e da mudança verdadeira quando uma pessoa confessa seus pecados e pede a ajuda de Deus. Essa é a base da esperança do cristão, algo que o não cristão não possui. Se o Deus santo pode perdoar nossas ofensas contra ele, então nós, que não somos santos, podemos perdoar as transgressões uns dos outros. Se Deus, que por amor nos criou com liberdade de escolha, continua a asseverar nossa liberdade, então ele certamente nos concederá a capacidade de fazer aquilo que é certo quando quisermos.

Nossos erros passados foram cobertos não por roupas que nós mesmos confeccionamos, mas pelas roupas que Deus fez para nós. A Bíblia as chama de *manto da justiça de Cristo*. Assim como Deus providenciou roupas de peles para cobrir Adão e

Eva, utilizando para isso o sacrifício de animais, também Cristo, que foi sacrificado por nossos pecados, providencia para nós roupas adequadas. É essa realidade do perdão entre marido e esposa que nos permite voltarmos a ser sinceros um com o outro e experimentarmos a alegria de conhecer e ser conhecido.

* * *

Nosso relacionamento com Deus é essencial para desenvolvermos intimidade no casamento. Adão e Eva afastaram-se um do outro logo após terem se separado de Deus. O mesmo acontece conosco. Restabelecer um relacionamento com Deus ao confessarmos nossos pecados e aceitarmos seu perdão nos dá o auxílio divino necessário para recuperar a intimidade em nosso casamento. Nos próximos quatro capítulos, trataremos da intimidade emocional, intelectual, sexual e espiritual.

QUESTÕES PARA REFLETIR

1. Pensando em seu casamento desde o início, você diria que adicionou roupas emocionais ou retirou camadas? Quando isso começou?
2. Com base no que sabe e no que leu sobre intimidade conjugal, você está aberto para ser um canal de expressão do amor de Deus? Se a resposta for não, você está disposto a dar passos em direção a isso?
3. Complete a frase: "O caminho de volta para a _____ é o caminho de volta para o _____".
4. Que tipo de "roupas" podem nos dar uma esperança que os não cristãos não possuem?
5. Cite algo que você fez esta semana para incentivar seu cônjuge (verbalmente ou não).

Aceitamos

Pegue um lençol e segure de um lado, enquanto seu cônjuge segura do outro, como se estivessem mostrando uma bandeira. Comecem a enrolar-se no lençol até que cheguem ao meio, olhando um para o outro, com o lençol firmemente envolto em vocês. Tentem caminhar para a frente ou para trás, ou sentar-se. Enquanto riem disso, pensem no lençol como o manto de justiça de Deus, envolvendo vocês e estimulando-os a se tornarem um. Perceba como cada movimento seu requer um movimento complementar do seu cônjuge para que vocês consigam se mover sem cair.

19
Intimidade emocional

Era uma tarde fria de fevereiro. Emily era a última pessoa em minha agenda. Havia telefonado logo cedo e insistido para que eu a atendesse no mesmo dia. Sem nenhuma saudação formal, sentou-se e simplesmente desabafou: "É difícil explicar, mas não me sinto mais ligada a Greg. Não sei o que ele sente por mim, porque ele nunca conversa comigo, e não estou gostando disso. Pensei que tivéssemos um bom casamento, mas estamos caminhando em duas direções diferentes: Greg com seu trabalho e eu com as crianças. É como se fôssemos estranhos morando na mesma casa. Não sei se ele ainda me ama. Ele nunca me diz, e sem dúvida ele age como se não me amasse. Não sei se ainda o amo, e isso me assusta".

O pedido por socorro de Emily ilustra a importância da intimidade emocional no casamento. Sem isso, marido e esposa se tornam companheiros de quarto ou parceiros de negócios. O cerne do casamento começa a se deteriorar.

Mas o que é intimidade emocional? É aquela percepção profunda de ligação mútua. É nos sentirmos amados e respeitados enquanto buscamos oferecer o mesmo à outra pessoa. É nos sentirmos seguros e empolgados com a vida conjugal. É ter consideração um pelo outro, pois sentimos que nosso coração bate no mesmo ritmo.

Como manter ou recuperar essa intimidade? A meu ver, é preciso começar com a decisão de procurar satisfazer as necessidades emocionais um do outro. E quais são essas necessidades emocionais que parecem tão importantes num casamento bem-sucedido? Provavelmente as três necessidades mais básicas são: sentir-se amado, sentir-se respeitado e sentir-se valorizado. Sentir-se amado é perceber que seu cônjuge se preocupa com você e quer seu bem-estar. Respeito tem a ver com o sentimento de que seu cônjuge tem uma consideração por você, que aprecia seu intelecto, suas habilidades e sua personalidade. Valor é a percepção interior de que seu cônjuge aprecia sua contribuição para o relacionamento. Quando marido e esposa sentem-se amados, respeitados e valorizados um pelo outro, eles têm intimidade emocional.

Lidar com emoções negativas

Alguns casais cometem o erro de acreditar que o simples ato de compartilhar emoções produzirá intimidade emocional. Trata-se de uma falácia facilmente demonstrável. Por exemplo, quando Ryan diz à esposa, Stephanie, que se sente magoado, desapontado, com raiva e traído, pode estar compartilhando sentimentos honestos, mas mostra que não tem intimidade emocional com a esposa. Não obstante, compartilhar essas emoções pode ser o primeiro passo para a intimidade emocional. O comportamento de Stephanie, ou a percepção do marido quanto ao comportamento dela, parece ter estimulado essas emoções dentro dele. Sua vontade de compartilhar essas emoções fornece à esposa informações valiosas, dando-lhe a oportunidade de responder com honestidade. Se ela disser: "Sinto muito por ter agido assim. Gostaria de apagar o que fiz, mas sei que não posso. Com a ajuda de Deus, isso nunca mais voltará a acontecer. Espero que você me perdoe", estará removendo o entulho do caminho que conduz à intimidade.

Se, por outro lado, ela responder: "Não sei de onde tirou essa ideia, mas não é verdade. Não fiz o que você está dizendo, e quem lhe disse isso está mentindo. Caso fosse verdade, sei que isso machucaria você. Mas, acredite em mim, não é verdade", Ryan terá de verificar as informações que recebeu e tentar definir o que é verdade. Suas emoções seguintes dependerão muito daquilo que descobrir. Se perceber que estava errado, talvez ele volte e diga: "Desculpe ter acreditado nessas bobagens sobre você. Foi desleal de minha parte. Fiquei muito feliz por não ser verdade. Espero que você me perdoe por esse julgamento precipitado". Esse conflito ilustra a importância de expressar nossas emoções como o primeiro passo na construção de intimidade emocional.

Se Ryan tivesse guardado suas emoções para si, sem dividi-las com a esposa, a raiva, a mágoa e o sentimento de traição teriam agido como obstáculos à intimidade emocional. Somente compartilhando nossas emoções negativas é que criamos oportunidade para entendê-las e superá-las.

De tempos em tempos, todos nós temos emoções negativas com relação ao cônjuge. Quase todos esses sentimentos são estimulados pelo comportamento do outro. Por exemplo, a esposa prometeu levar as camisas do marido à lavanderia, mas esqueceu. O marido prometeu lavar o chão da cozinha no sábado, mas às 23h30 o chão continuava sujo. Outro marido esperava que a esposa se lembrasse do aniversário dele, mas ela esqueceu. Essa esposa esperava um elogio por ter cortado a grama do jardim, mas, se ele percebeu, não comentou nada.

Como compartilhar emoções negativas de modo positivo? Sugiro que pergunte a seu cônjuge: "Se eu tivesse uma emoção negativa, esta seria uma boa hora para expressá-la?". Essa é uma forma de dizer ao cônjuge que alguma coisa aconteceu e lhe dar oportunidade para se preparar emocionalmente para ouvir o que está incomodando você. Se o outro achar que o momento não é oportuno para conversarem, marquem um horário para fazer isso.

Minha esposa e eu sabemos que de vez em quando temos sentimentos negativos desse tipo, por isso concordamos que, quando tivermos esses sentimentos, vamos compartilhar um com o outro a fim de resolver o assunto que estimulou essas emoções. Casais que compartilham e tratam regularmente de suas emoções constroem intimidade emocional. Aqueles que interiorizam emoções geralmente se retraem, discutem ou criticam o cônjuge, coisas que não constroem intimidade emocional.

Satisfazer necessidades emocionais

Quando lidamos com nossas emoções negativas de uma forma construtiva, falando sobre elas abertamente com o cônjuge, o ambiente fica mais leve. O nevoeiro é desfeito e ficamos livres para tentar satisfazer as necessidades emocionais do outro: amor, respeito e valorização.

Amor

Como satisfazer essa necessidade mútua por amor? Já escrevi muito sobre as cinco linguagens do amor.* Farei aqui uma rápida recapitulação. A primeira linguagem do amor chama-se *palavras de afirmação*, isto é, utilizar palavras que edificam o cônjuge. Por exemplo: "Você fica linda nesse vestido",

---

*Ver Gary Chapman, *As 5 linguagens do amor: Como expressar um compromisso de amor a seu cônjuge*, 3ª edição (São Paulo: Mundo Cristão, 2013).

"Obrigada por limpar a garagem", "Obrigada por colocar o lixo para fora", "Você cantou muito bem no coral. Parabéns!". Um antigo provérbio hebraico ensina: "A língua tem poder para trazer morte ou vida" (Pv 18.21). Mark Twain disse certa vez: "Um elogio sincero me mantém animado por dois meses". A maioria das esposas precisará de mais do que isso. Sugiro um elogio por dia.

A segunda linguagem do amor é *presentes*. Tenho formação acadêmica na área de antropologia. Estudei várias culturas ao redor do mundo e nunca encontrei uma sociedade na qual presentear não fosse uma expressão de amor. Presentear alguém significa que você pensou naquela pessoa. E não precisa ser algo caro. Você já ouviu a frase "O que vale é a intenção"? Lembre-se, porém, de que a intenção não contará muito se ela ficar apenas na sua mente e não se tornar um presente real. Uma flor apanhada no jardim do vizinho pode fazer maravilhas por sua esposa (lembre-se de pedir ao vizinho antes de colher a flor).

A terceira linguagem do amor é *atos de serviço*, ou seja, fazer algo que seu cônjuge gostaria que fosse feito: preparar uma refeição, lavar a louça, passar o aspirador na casa, lavar o carro, cortar a grama, trocar as fraldas do bebê, limpar o espelho do banheiro, enfim, qualquer coisa que agradará ao outro. Quando seu cônjuge pede algo, está oferecendo dicas daquilo que o fará sentir-se amado. Quando a esposa pergunta: "Você poderia limpar a calha do telhado este final de semana?", não está reclamando, mas sim pedindo amor.

A quarta linguagem do amor chama-se *tempo de qualidade*, que consiste em dedicar total atenção ao cônjuge: fazer uma caminhada pela vizinhança, sair para jantar, conversar, sentar no sofá com a televisão desligada, tirar a tarde para fazer uma trilha no meio do mato ou apenas sentar-se juntos por alguns momentos num banco do *shopping*. São coisas que podem fazer toda a diferença para o cônjuge, pois indica que você se importa o bastante para passar tempo com ele. Quando você dedica vinte minutos de seu tempo ao outro, está na verdade doando vinte minutos de sua vida. Isso comunica uma mensagem emocional poderosa.

A quinta linguagem do amor chama-se *toque físico*. Todos nós conhecemos o poder emocional do toque: andar de mãos dadas, abraçar, beijar, fazer sexo, colocar o braço ao redor da cintura dela, colocar sua mão na perna dele enquanto ele dirige; são mensagens emocionais de amor.

Dentre as cinco linguagens, cada indivíduo tem uma que mais se destaca, uma que mexe conosco de maneira mais profunda do que as outras quatro. Raramente marido e esposa possuem a mesma linguagem do amor. Por natureza, falamos nossa própria linguagem com o outro, isto é, aquilo que nos faz sentir amados é justamente o que fazemos ao cônjuge. Mas, se não for a linguagem principal do outro, não terá o mesmo impacto emocional que tem para nós. O elemento mais importante para satisfazer a necessidade emocional de seu cônjuge é aprender a falar a linguagem do amor que mexe com ele.

Por exemplo, o marido corta a grama, lava o carro e passa o aspirador na casa; porém, se a linguagem do amor da esposa for tempo de qualidade, seu reservatório de amor continuará vazio. O marido ficará se perguntando como sua mulher não consegue se sentir amada mesmo depois de ele ter feito tanta coisa. O problema não está na sinceridade de seus atos, mas no fato de ele não falar a linguagem certa.

A esposa que faz elogios ao marido, mas raramente o toca de maneira carinhosa, talvez pense estar expressando amor.

No entanto, se a linguagem do marido for toque físico, o reservatório de amor dele continuará vazio apesar da sinceridade dos elogios da esposa.

Nem sempre é fácil aprender a falar a linguagem do amor do cônjuge. Aqueles que cresceram sem experimentar palavras de afirmação em seus lares encontrarão dificuldades em verbalizar elogios ao cônjuge. Contudo, se queremos ter intimidade emocional, precisamos aprender a falar a linguagem de amor do cônjuge. Quando ambos estiverem falando a linguagem do amor do outro de forma consistente, estarão no caminho certo para alcançar a intimidade emocional. A necessidade de nos sentirmos amados provavelmente é nossa necessidade mais fundamental. Quando essa carência é suprida de forma genuína, damos um passo gigantesco em direção à intimidade emocional.

Respeito

Porque fomos feitos à imagem de Deus, somos criaturas de grande valor: homens e mulheres. Algo em nosso interior nos diz que merecemos respeito e dignidade. Essa é a marca de Deus em nós. Assim, nos sentimos violados quando as palavras ou o comportamento de nosso cônjuge nos humilham. Não pode haver intimidade emocional entre marido e mulher se não houver respeito. E o respeito começa com a atitude: "Reconheço que você é uma criatura extremamente valiosa. Deus lhe deu certas habilidades, discernimento e dons espirituais. Portanto, respeito você como pessoa. Não o rebaixarei com comentários críticos sobre sua inteligência, opiniões ou modo de pensar. Procurarei compreender você e lhe darei a liberdade de pensar de maneira diferente da minha e ter emoções que talvez eu não tenha".

Essa atitude é o caminho para demonstrar respeito por seu cônjuge. Respeitar o outro não significa que temos de concordar com tudo o que ele faz. Significa conceder liberdade para demonstrar sua individualidade. Não existem dois seres humanos que pensam e sentem da mesma forma. O respeito diz coisas como: "Você tem uma maneira interessante de ver as coisas", e não: "Essa é a coisa mais idiota que já ouvi". Nestes anos todos, tenho me impressionado com a forma desumana com que certos casais se tratam. Lembro-me de um marido que disse à esposa: "Não acredito que você estudou numa universidade e ainda pensa desse jeito". Uma esposa disse: "Se seu cérebro fosse pelo menos do tamanho de uma ervilha, entenderia o motivo de eu estar tão irritada". Essas palavras degradantes criam hostilidade e não intimidade.

Se quiser comunicar respeito a seu cônjuge, comece a tratá-lo como um ser humano. Todas as pessoas são dignas de respeito. Somos únicos porque fomos formados por um Deus criativo. Permitir que seu cônjuge seja a pessoa que Deus o criou para ser é o primeiro passo para comunicar respeito. Fazer com que ele se encaixe nos seus padrões é uma demonstração de desrespeito.

Respeitar significa enxergar os talentos que Deus concedeu ao cônjuge e elogiar e encorajar sua singularidade. Podemos discordar do cônjuge sem faltar com o respeito. Por exemplo, uma forma de exprimir consideração seria: "Não tinha pensado nisso. Obrigado por compartilhar seu ponto de vista". Porém: "Qualquer um consegue ver que seu ponto de vista está errado" mostra desrespeito. Respeitar é dar às pessoas a liberdade de serem quem são, pensarem o que pensam e sentirem o que sentem. A esposa não espera que seu marido concorde com ela o tempo todo, mas também não quer que ele chame suas ideias de ridículas. O marido sabe que nem sempre está certo, mas não gosta de ser chamado de mentiroso.

Respeitar é dizer: "Não concordo com isso, mas deve haver uma boa razão para você pensar dessa forma. Quando tiver tempo, gostaria que me explicasse melhor", ou então: "Sinto muito se está magoado. Com certeza não foi minha intenção. Vamos esclarecer o assunto".

O desrespeito geralmente tem sua origem na insegurança emocional. Quando estou inseguro sobre quem sou, critico você ou suas ideias para me sentir melhor. Mas se estiver seguro de minha personalidade, ciente de que sou filho de Deus e uma criatura valiosa, permitirei que você seja quem é.

Uma esposa me perguntou como respeitar um marido cujo estilo de vida desonra os ensinamentos da Bíblia. Respondi que não respeitamos seu estilo de vida, mas sua liberdade de escolher determinado estilo de vida. Deus nos deu livre-arbítrio, sabendo que ocasionalmente faríamos escolhas insensatas. Ele não retira essa liberdade, mesmo quando escolhemos agir de forma contrária à sua Palavra. Contudo, ele nos considera culpados por nossas decisões erradas e permite que soframos as consequências dessas decisões. Portanto, a esposa mostra respeito pelo marido quando diz: "Não gosto quando você age de forma contrária aos ensinamentos bíblicos. Sei que sofrerá as consequências de suas escolhas, e isso me machuca, pois amo muito você. Mas saiba que respeito seu direito de fazer suas próprias escolhas". Dessa maneira, fala a verdade com amor e respeito.

Valorização

O terceiro elemento da intimidade emocional é sentir-se valorizado. Quando expressamos apreciação, reconhecemos o valor das contribuições de nosso cônjuge para o relacionamento. Cada um de nós emprega, todos os dias, energia e habilidades que beneficiam nosso relacionamento. Perceber que o cônjuge reconhece e dá valor a nossos esforços ajuda a construir intimidade emocional. Assim, a valorização talvez seja enfatizar algo que o cônjuge tenha feito: "Que casa bem arrumada. Você trabalhou bastante hoje, hein?", "É o melhor bolo de carne que comi até hoje. Obrigado por fazer uma refeição tão gostosa", "Sei que nem sempre lhe digo isso, mas saiba que aprecio muito o fato de você arrumar a cama toda manhã", "Fico feliz por você cortar a grama todos os sábados. Algumas amigas reclamam que o marido só pega o cortador de grama quando o jardim parece uma selva, mas você deixa o nosso jardim sempre arrumado".

Também podemos enfatizar as habilidades do cônjuge: "Gosto muito de ouvir você cantar. Que talento!", "Deus lhe deu o dom do ensino. Você sempre consegue gerar discussões proveitosas durante as aulas", "Gosto do cuidado que você tem ao lidar com nosso dinheiro. Como você sabe, esse não é meu forte. Aprecio sua capacidade de tomar conta de nossas finanças", "Querido, saiba que aprecio os consertos que faz aqui em casa. Sua habilidade para consertar coisas nos ajuda a economizar um bom dinheiro. Tenho muita sorte de ter me casado com você", "Sou muito agradecida por sua capacidade de sustentar a família. Sei que quando temos algum problema na casa posso chamar alguém para fazer os consertos necessários, pois temos dinheiro suficiente para pagar esses serviços. Admiro o modo como você provê o sustento necessário para nosso lar com seu trabalho dedicado".

Além disso, podemos elogiar a personalidade do cônjuge: "Gosto muito de sua atitude positiva. Alguns de meus amigos dizem que a esposa está sempre desanimada e vendo o lado ruim das coisas, o que também os deixa frustrados. Mas comigo isso não acontece. Você está sempre animada. Não importa o que aconteça, sempre vê o lado bom. Saiba que gosto sinceramente dessa sua atitude", "É muito bom quando você planeja nossas férias. Se dependesse de mim, passaríamos metade do tempo procurando um hotel decente. Mas o jeito que você faz as coisas me deixa feliz, pois tudo já foi planejado com detalhes. Fico muito feliz com isso", "Se não fosse você, eu teria uma vida muito chata. Graças à sua espontaneidade, fizemos uma porção de coisas divertidas que não teríamos feito se dependesse só de mim. Estou muito contente. É divertido viver com você!".

Todas as pessoas querem ser valorizadas, e mesmo nos piores cônjuges há sempre algo que podemos apreciar. Lembro-me do comentário de uma senhora sobre seu marido alcoólatra, que nunca permaneceu num emprego por mais de seis meses: "Ele assobia maravilhosamente bem". Valorizar as coisas positivas que você vê em seu cônjuge é uma forte motivação para que ele faça mais coisas que inspirem apreço. Não espere seu cônjuge "melhorar". Comece de onde está, expresse apreciação e veja como seu cônjuge se desenvolverá.

***

Neste capítulo estudamos os ingredientes que produzem intimidade emocional: amor, respeito e valorização. Também falamos da necessidade de compartilhar sobre nossas emoções negativas com o outro para que elas não se tornem empecilhos para a intimidade emocional. No capítulo 20, trataremos da intimidade intelectual.

Questões para refletir

1. Complete as seguintes frases com atividades práticas do dia a dia. Por exemplo: "Sinto-me amada quando John me liga durante o dia só para dizer oi".
   Sinto-me amado quando _____.
   Sinto-me respeitado quando _____.
   Sinto-me valorizado quando _____.
2. Agora complete essas declarações:
   Demostro amor a meu cônjuge quando _____.
   Demonstro respeito a meu cônjuge quando _____.
   Demonstro valorização a meu cônjuge quando _____
   _____.
3. Que obstáculos estão impedindo você de ter intimidade emocional? Hábitos? Estilo de vida? Palavras negativas e humilhantes?

Aceitamos

Compartilhe as respostas das questões 1 e 2 com seu cônjuge. Suas respostas foram previsíveis ou houve alguma surpresa? Você se dava conta de que seu cônjuge estava demonstrando amor ou respeito? Aprendeu uma nova forma de fazer seu cônjuge se sentir valorizado?

Usando suas respostas, volte ao resumo das cinco linguagens do amor descritas neste capítulo. Você consegue identificar qual é sua principal linguagem do amor? E a de seu cônjuge? Comprometam-se em aprender a "falar" a linguagem do amor um do outro.

20
Intimidade intelectual

Nossos pensamentos e sentimentos encontram-se intimamente entrelaçados. No entanto, decidi tratá-los separadamente com o objetivo de entender melhor como essas linhas paralelas de intimidade se desenvolvem. Quando falo de intimidade intelectual, refiro-me àquela sensação de proximidade que surge entre os cônjuges que aprendem a compartilhar seus pensamentos um com o outro sem inibições. É desenvolver um entendimento mútuo ao entrar no universo de pensamentos do outro. Intimidade intelectual é o sentimento de estar por dentro, e não por fora, do mundo da outra pessoa.

Os pensamentos que compartilhamos podem ser profundos e de significado abrangente, ou podem ser de cunho pessoal, como o simples desejo de tomar sorvete. Podem ser associados a decisões ou simplesmente a informações. Sem dúvida, a natureza e a importância de nossos pensamentos serão bastante influenciadas pelas reações emocionais do cônjuge. Por exemplo, compartilhar o desejo de comprar um barco de duzentos mil reais terá um impacto diferente de compartilhar o desejo de comer um misto quente. Apesar disso, ter intimidade intelectual é justamente ter liberdade de compartilhar pensamentos um com o outro, certos de que seremos ouvidos e receberemos uma resposta honesta e amorosa do cônjuge.

Muitos conhecem aquela história da esposa que trabalha para que o marido possa fazer faculdade ou pós-graduação. Dedica quase toda a sua energia ao trabalho e aos filhos enquanto o marido se desenvolve intelectualmente. Logo depois da formatura, o casamento se desfaz. Isso acontece com demasiada frequência para ser mera coincidência. Em muitos casos, parte da resposta se encontra no fato de que o casal não compartilha uma vida intelectual. Como o marido vive num mundo totalmente diferente da esposa, ocorre uma ruptura. Por isso algumas faculdades e cursos de pós-graduação fazem questão de que o cônjuge participe das aulas e palestras, mesmo sem estar matriculado. Se os cônjuges se mantiverem no mesmo nível em certas áreas, a comunicação intelectual entre eles será melhor.

Em outra situação, a esposa ingressa numa carreira nova que, para ela, é empolgante e intelectualmente desafiadora. O marido demonstra pouco interesse, e por isso ela para de falar sobre assuntos de trabalho. Conforme se afastam, o marido culpa o trabalho da esposa por esse distanciamento. Na realidade, a culpa é da falta de intimidade intelectual.

Não é necessariamente o fato de viver em mundos diferentes várias horas por dia que gera um afastamento. O problema é a falta de comunicação intelectual, isto é, dividir nossos pensamentos, interesses e experiências e ouvir com atenção. Certa vez um marido que trabalhava numa área de alta tecnologia me disse: "Estamos casados há dezesseis anos. A esta altura de nosso casamento, não consigo mais ter uma conversa inteligente com minha esposa porque nossos mundos são muito diferentes. Ela não entende as coisas que enfrento todos os dias e, ao que parece, tem pouco interesse". Essa declaração ilustra o resultado da falta de intimidade intelectual.

Marido e esposa não precisam ser versados em todos os aspectos técnicos do trabalho ou dos interesses de cada um. Precisam, porém, aprender o suficiente para se comunicar e desenvolver cada vez mais o sentimento de proximidade. Visitar o ambiente de trabalho um do outro pode ser um passo importante no aprimoramento da comunicação e da intimidade intelectual.

Por outro lado, a intimidade intelectual não se concentra necessariamente na vida profissional. Ela é resultado do processo de dividir abertamente pensamentos, experiências e desejos. Casais que aprendem a fazer isso num contexto de abertura e reciprocidade descobrem que conversar pode ser algo extremamente empolgante. Todavia, talvez seja quase impossível dividir essas informações se forem comunicadas de forma negativa e num ambiente de acusações emocionais. Daí a importância de desenvolvermos intimidade emocional (conforme discutimos no capítulo 19).

A arte de ouvir

O maior motivo de nos calarmos dentro da relação talvez seja a incerteza sobre como nosso cônjuge reagirá ao que compartilhamos. Por isso, a arte de ouvir envolve a criação de um ambiente aberto. Um marido que tentou compartilhar com sua esposa três coisas que lhe aconteceram e como se sentiu sobre elas (conforme vimos num capítulo anterior), me disse, após várias semanas de tentativas: "Não acho que ela esteja interessada nas coisas que estou compartilhando". Pode ser que sua percepção quanto ao desinteresse da esposa esteja associada à própria insegurança, mas também é possível que o problema esteja no fato de a esposa não ouvir com interesse.

Quase todos nós temos mais interesse em compartilhar nossas ideias do que em ouvir as ideias dos outros. São necessários dois ouvintes interessados para haver um relacionamento íntimo. Pesquisas mostram que casamentos problemáticos possuem um alto grau de mal-entendidos na comunicação entre os cônjuges. Esses mal-entendidos geralmente surgem da falta de atenção. Se perceber que sou mal compreendido, provavelmente me sentirei rejeitado. Sentindo que sou rejeitado, provavelmente falarei menos no futuro. Faríamos bem em refletir com seriedade sobre Provérbios 18.2: "O tolo não se interessa pelo entendimento; só quer saber de expressar suas opiniões".

É preciso compartilhar nossas ideias para obter intimidade intelectual, porém é mais importante ainda ouvirmos as ideias do cônjuge. O fundamento da intimidade intelectual está no ato de ouvir, compreender e aceitar as ideias do outro, mesmo que não concordemos com elas. Ninguém divide suas ideias com pessoas que sempre as criticam e condenam.

Muitas pessoas nunca aprenderam a aceitar ideias com as quais não concordam. Para elas, aceitar uma ideia é o mesmo que aprová-la. No entanto, aceitação e aprovação são conceitos diferentes. Aceitação significa dar à pessoa liberdade para pensar o que quiser. Aprovação significa concordar com suas conclusões. Portanto, podemos sempre aceitar as ideias do cônjuge, embora nem sempre precisemos concordar com elas.

O conceito de aprovação ocorre em frases como: "Concordo", "Vamos lá", "Que ideia genial", "Que conceito brilhante". A aceitação é expressa em frases como: "Interessante, vamos conversar melhor sobre isso", "Estou surpreso, não sabia que você pensava dessa forma", "É difícil concordar com você, mas se é isso que pensa, devemos buscar uma solução para nossas diferenças, pois respeito sua liberdade de ter ideias diferentes das minhas". São declarações que não escondem nossa discordância nem condenam as ideias do outro. O objetivo de prestar atenção à conversa não é julgar, mas ouvir o que a outra pessoa está pensando, entender suas ideias, participar dos pensamentos dela. Mais tarde, se for o caso, pode haver a necessidade de avaliar o assunto; a princípio, a intimidade intelectual exige apenas ouvir atentamente, visando compreender as ideias da outra pessoa.

Outra habilidade na arte de ouvir o cônjuge é prestar atenção enquanto ele fala. Certa vez, tive duas reuniões na mesma tarde com pessoas diferentes. Na primeira reunião, enquanto eu falava, a pessoa abriu correspondências, fez anotações e arrumou papéis em cima da mesa. Quase não olhou para mim. Percebi rapidamente que ela não estava interessada na conversa. Na segunda reunião, a pessoa desligou o computador, cobriu os papéis sobre a mesa com um livro e olhou para mim enquanto falávamos. Tive a impressão de que não havia nada mais importante para ela do que nossa conversa. Há mais comunicação intelectual e intimidade quando ambas as partes prestam atenção.

Alguns se orgulham de sua capacidade de assistir televisão, ouvir rádio, ler um livro e conversar com o cônjuge, tudo ao mesmo tempo. Embora não esteja questionando a capacidade que algumas pessoas têm de fazer isso, a meu ver não é algo que ajuda no processo de construir intimidade intelectual. Por exemplo, minha esposa pode sentir que não estou interessado e desistir de compartilhar suas ideias comigo caso eu esteja dividindo minha atenção com outras atividades enquanto ela fala. Dedicar atenção total comunica amor e interesse pelo outro. A fim de criarmos um ambiente propício à intimidade intelectual, nossas ações devem mostrar ao cônjuge que não há nada mais importante naquele momento do que ouvir o que ele tem a dizer.

Há ocasiões em que não podemos dedicar ao outro nossa atenção total. O modo mais construtivo de lidar com situações assim é simplesmente dizer a verdade. O marido pode dizer à esposa: "Espere um momento, pois deixei a torneira da banheira aberta. Vou fechá-la e então poderemos conversar". Alguém que é fã de futebol pode dizer ao cônjuge: "O jogo está quase no final e os times estão empatados. Quando terminar a partida, poderei lhe dar atenção. Gostaria muito de ouvir o que você tem a dizer". A maioria das pessoas reagirá positivamente a essas palavras honestas. Por outro lado, se a pessoa continuar assistindo ao jogo sem dar uma resposta verbal para o cônjuge, provavelmente estimulará emoções e reações negativas na mente dele. O marido que sai correndo para fechar uma torneira aberta e deixa a esposa falando sozinha sem maiores explicações pode dar a impressão de que não está interessado no que ela tem a dizer.

"Pare, olhe e ouça" é um bom lema para ter em mente quando estiver conversando com seu cônjuge. Você também pode melhorar a comunicação ao utilizar mensagens não verbais para indicar que está prestando atenção. Gestos como assentir com a cabeça, sentar-se mais perto, desligar a televisão, tocar no cônjuge enquanto fala, podem comunicar seu interesse no que o outro está dizendo.

Prestar atenção requer concentração. Procure entender a mensagem que seu cônjuge está comunicando. O significado das palavras muitas vezes varia de uma pessoa para outra. Faça perguntas para se certificar de que entendeu. Muitos mal-entendidos acontecem porque supomos ter compreendido a mensagem do cônjuge, quando na verdade não entendemos nada.

Pouco tempo atrás, minha esposa e eu estávamos dirigindo

um retiro para casais. Sábado de manhã, enquanto eu me preparava para o banho, ela disse:

— Querido, pendure minha saia atrás da porta.

Vi uma saia pendurada no suporte da cortina do chuveiro e, supondo tratar-se da saia à qual ela estava se referindo, pendurei-a fora do banheiro junto com outras roupas. Imaginei que a ideia era evitar que eu a molhasse enquanto tomava banho. Meia hora depois, minha esposa entrou no banheiro e disse:

— Você não entendeu nada, não é?

— Como assim? — perguntei.

E ela explicou:

— Pedi para você pendurar minha saia atrás da porta.

— Sim, foi isso que eu fiz.

— Não — ela respondeu. — Você pendurou junto com as outras roupas fora do banheiro. O que eu queria era que você a pendurasse atrás da porta do banheiro para o vapor do chuveiro desamassá-la.

— De fato, não foi isso que entendi. Desculpe.

Foi uma situação simples e não houve nenhuma consequência desastrosa para nosso casamento, mas se eu tivesse praticado o princípio de prestar atenção, teria pedido mais explicações em vez de supor que havia entendido.

A intenção de esclarecer o assunto não é ameaçar intelectualmente o cônjuge questionando a validade de suas declarações. Procuramos apenas ter certeza de que entendemos as ideias que o cônjuge comunicou. O marido diz:

— Não sei se conseguirei terminar este projeto até sexta-feira.

A esposa pergunta:

— Você quer dizer que não terá tempo suficiente para terminar?

— Não é questão de tempo. Acho que não tenho todas as informações de que preciso e não sei onde encontrá-las.

— Então o problema é falta de informação? — pergunta a esposa.

— Sim. Além disso, não estou certo se quero trabalhar nesse projeto. Estou cansado de fazer relatórios que ninguém lê — diz o marido.

— Você quer dizer que grande parte do que lhe pedem para fazer no trabalho é um desperdício de tempo?

Agora eles iniciam uma conversa sobre a satisfação no trabalho e a possibilidade de procurar um novo emprego. Teria sido muito diferente se, ao ouvir o comentário inicial do marido, a esposa tivesse respondido: "Ah, mas você tem bastante tempo para terminar até lá. Tenho certeza de que vai conseguir". Essa declaração provavelmente teria encerrado a conversa e talvez a esposa nunca soubesse dos pensamentos e sentimentos do marido com relação ao trabalho. Perguntas de esclarecimento podem tornar-se irritantes se forem usadas em excesso, mas, em geral, produzem conversas que geram intimidade intelectual.

Desenvolver um ambiente para a comunicação intelectual

Cada indivíduo é único. O que ajuda uma pessoa pode atrapalhar outra. Analisar a forma como vocês conversam e ouvem um ao outro pode ajudá-los a descobrir novos padrões de comunicação. Talvez seu cônjuge se irrite com as perguntas que você faz para esclarecer uma situação, conforme o exemplo citado anteriormente. Por outro lado, talvez aprecie seus questionamentos. Sua esposa pode estar à procura de uma palavra de apoio quando vem lhe contar uma ideia. Você pode estimulá-la a falar mais se disser algo como: "Sim, estou entendendo", "Claro, nesse ponto estou de acordo", "Com certeza". Existe o risco, porém, de ela interpretar suas palavras como condescendentes e irritantes.

Seu cônjuge pode querer que você analise as ideias dele e compartilhe suas opiniões. O oposto também pode ser verdadeiro: suas opiniões sobre o assunto podem levá-lo a calar-se imediatamente. Quando você diz: "Não concordo" ou "Acho isso uma péssima ideia", pode haver uma interrupção da conversa ou talvez até o início de uma briga. Seria bastante produtivo dialogar abertamente sobre o que complica ou facilita a conversa entre vocês.

O que seu cônjuge poderia fazer para ajudar você a continuar compartilhando uma ideia? Por exemplo, seria melhor ele assentir com a cabeça, olhar nos seus olhos enquanto fala, inclinar-se para a frente? Ou essas coisas são irritantes? Quando você compartilha uma ideia e percebe que seu marido não concorda com ela, como gostaria que ele manifestasse essa discordância? De que maneira ele poderia discordar, mas sem mostrar uma atitude condenatória? Seria mais fácil se ele começasse dizendo: "Você tem toda a liberdade de pensar dessa maneira. Porém, eu gostaria de expressar meu ponto de vista"? Ou seria melhor se ele falasse: "Que ideia interessante. Talvez você esteja certa. Mas veja outra forma de pensar"? Enfim, converse com seu cônjuge sobre o que tornaria a comunicação intelectual mais fácil para você.

Casais que não sabem o que os ajuda a manter a comunicação fluindo têm mais probabilidade de dizer ou fazer coisas que atrapalham essa comunicação. Geralmente esses padrões de comunicação ocultos, porém prejudiciais, são obstáculos de longa data. A intimidade intelectual poderá melhorar se descobrirmos e removermos esses obstáculos.

Uma esposa me disse: "Toda vez que compartilho uma ideia com meu marido, ele a destrói, como um cão caçando um coelho. Ele faz com que eu me sinta uma fracassada. Por isso, tenho evitado compartilhar o que penso". É possível que esse marido tenha pouco entendimento do impacto que seu padrão de diálogo exerce sobre a esposa e como isso é prejudicial à intimidade intelectual deles.

Um marido diz:

— Estou preocupado com o dinheiro que precisamos arranjar para pagar a faculdade de Meredith.

A esposa responde:

— Cristãos não se preocupam com essas coisas. Você sabe que Deus cuidará de tudo.

Em seguida ela lê um versículo bíblico para ele. Provavelmente vai levar muito tempo para ele voltar a compartilhar seus pensamentos e suas ansiedades com ela. Ele buscava compreensão e apoio emocional, não um sermão. Queria que a esposa soubesse o que se passava em seu interior; naquele momento, precisava ser aceito como era. A resposta rápida da esposa passou a impressão de que ela não compreendeu o dilema que ele estava enfrentando. Ela fez pouco de algo que para ele era muito sério. Aprender a identificar e mudar esses padrões negativos de comunicação nos ajudará a aprofundar nossa comunicação intelectual e intimidade.

Criar um ambiente seguro para conversar é a coisa mais importante no desenvolvimento da intimidade intelectual. Será impossível trocar ideias se houver o temor de que nosso cônjuge usará aquela informação contra nós. Hesitaremos em compartilhar pensamentos se acreditarmos que o cônjuge nunca concordará com nossas ideias, não importa quais sejam. O cônjuge que diz: "Essa é uma ideia interessante. Gostaria de ouvir mais sobre isso" estará promovendo um ambiente de comunicação saudável, ao passo que "Mas de onde você tirou essa ideia? Sabe muito bem que isso não é bíblico" é uma declaração que interrompe a conversa na hora, ou inicia um desentendimento que acaba com a intimidade intelectual. Criar um ambiente seguro, onde você sabe que seu cônjuge o ouvirá e não condenará suas ideias, facilita a continuidade do diálogo e melhora a intimidade intelectual.

* * *

Escolhi abordar a intimidade emocional e intelectual antes da intimidade sexual porque as três estão diretamente relacionadas. O nível de intimidade emocional e intelectual ajuda a prever a qualidade da intimidade sexual. O casal que dedica pouca atenção a essas duas primeiras, mas ainda assim espera avançar na intimidade sexual, provavelmente ficará decepcionado.

QUESTÕES PARA REFLETIR

1. Complete esta frase: "Intimidade intelectual é a sensação de _____ que surge entre os cônjuges que aprendem a _____ sem _____".
2. De que forma a famosa frase "nunca leve trabalho para casa" afeta a intimidade intelectual?
3. Às vezes, quando achamos que não somos compreendidos, podemos nos sentir rejeitados. Existem ideias ou questões que você e seu cônjuge não discutem porque um de vocês, ou ambos, não se sentem compreendidos?
4. Aponte algumas respostas que expressem aprovação.

5. Aponte algumas respostas amorosas que expressem aceitação, mas não aprovação.

Aceitamos

Todos nós gostamos de nosso telefone celular, mas nem sempre gostamos de pessoas com celulares. Na próxima vez em que estiver numa lanchonete, no metrô ou numa fila, observe as pessoas e veja quantas estão absortas em seus aparelhos. Faça com seu cônjuge um pacto de que *todas* as refeições serão sem celulares, seja quando estiverem a sós ou com toda a família. Se vocês saírem e precisarem estar em contato com a babá, combinem de deixar o celular de lado e utilizá-lo apenas se for uma emergência. Se sua família estiver reunida para uma refeição, não permita celulares na mesa (ou eletrônicos em geral). Cada refeição é uma oportunidade de estarem juntos, compartilhando ideias e experiências, falando das *suas* notícias, não vendo as notícias dos outros. Manter esse hábito, juntamente com a prática de algumas habilidades de comunicação que você aprendeu, abrirá as portas para a intimidade intelectual entre o casal e estabelecerá um exemplo para os filhos.

21
Intimidade sexual

Deus é o autor do sexo; portanto, o sexo é bom. Às vezes é difícil nos lembramos disso numa sociedade em que a sexualidade é tão distorcida. O sexo é usado como veículo de propaganda para vender tudo, de automóveis a creme dental. Filmes de espionagem mostram o sexo como uma arma para obter informações. Dramas e comédias românticas mostram a infidelidade sexual como uma coisa normal e, evidentemente, muito prazerosa. O segmento que mais comercializa o sexo, porém, é a indústria bilionária da pornografia, que prospera à custa da prostituição da sexualidade humana. Poderíamos perguntar se o sexo é algo importante para Deus, pois parece mais que foi criado por Satanás, já que é uma de suas ferramentas mais eficazes. A verdade, porém, é que Deus é o criador do sexo; Satanás apenas o distorceu.

A Bíblia declara: "Honrem o casamento e mantenham pura a união conjugal, pois Deus certamente julgará os impuros e os adúlteros" (Hb 13.4). A palavra traduzida por *união* vem do grego *koite*, de onde provém o termo latino *coito* ou "relação sexual". A mensagem é clara: o matrimônio é um relacionamento honroso e o ato sexual dentro do casamento é uma experiência gratificante. As relações fora do casamento, a saber, a fornicação (relação sexual antes do casamento) e o adultério (relação sexual com outra pessoa que não seja o cônjuge), são condenadas.

Porque a Bíblia diz que o ato sexual é gratificante dentro do casamento, mas condenável fora dele? Se entendermos os objetivos da relação sexual, provavelmente entenderemos a proibição do sexo extraconjugal. A Bíblia declara: "Assim, Deus criou os seres humanos à sua própria imagem, à imagem de Deus os criou; homem e mulher os criou" (Gn 1.27). O conceito de masculinidade e feminilidade não é uma invenção moderna nem uma obra de Satanás. A Bíblia não deixa dúvidas de que a sexualidade foi criada por Deus. E, quando terminou de formar criaturas sexuais, "Deus olhou para tudo que havia feito e viu que era muito bom" (Gn 1.31). Aquele que criou a sexualidade e a declarou boa também nos revelou o propósito do ato sexual e as razões para que o sexo se restrinja ao casamento.

O propósito da relação sexual

O propósito mais óbvio da relação sexual dentro do casamento é a procriação ou reprodução. Em Gênesis 1.28, Deus disse a Adão e Eva: "Sejam férteis e multipliquem-se. Encham e governem a terra". Há quem diga que essa é uma das prescrições divinas que o ser humano mais tem se empenhado em cumprir. Fomos bem-sucedidos na tarefa de encher a terra. Na Bíblia, as crianças são consideradas bênçãos de Deus. Por exemplo: "Os filhos são um presente do SENHOR, uma recompensa que ele dá. Os filhos que o homem tem em sua juventude são como flechas na mão do guerreiro. Feliz é o que tem uma aljava cheia delas" (Sl 127.3-5).

Deus nos deu a oportunidade de participar da criação por meio da reprodução. O ato sexual possui o potencial para juntar o óvulo feminino com o espermatozoide masculino e, dessa forma, criar um ser totalmente novo. A maioria dos pais concorda que uma das maiores alegrias é olhar para o rosto de um bebê e saber que aquela criança é um reflexo de ambos, pai e mãe. Investimos parte de nós mesmos para produzir essa criança e pretendemos zelar por seu bem-estar. Foi assim que Deus proveu um ambiente seguro para a criação dos filhos. O compromisso vitalício entre marido e esposa proporciona o melhor ambiente possível para educar os filhos. Assim, conforme a determinação divina, o ato sexual que concebe essa criança deve ser realizado somente no contexto do casamento.

Um segundo propósito do relacionamento sexual no matrimônio é ter companhia. Não fomos criados para viver isolados. Pensando em Adão, Deus disse: "Não é bom que o homem esteja sozinho" (Gn 2.18). Conforme vimos anteriormente, a palavra hebraica traduzida por *sozinho* significa, literalmente, "cortado, isolado". Em resposta à solidão de Adão, Deus disse: "Farei alguém que o ajude e o complete". (Gn 2.18). Quando Deus criou Eva, disse que homem e mulher se tornariam "uma só carne" (Gn 2.24, RC). Quase todos os comentaristas bíblicos concordam que a expressão *uma só carne* se refere principalmente ao ato sexual. Nesse contexto de união sexual, expressamos o sentido mais profundo de intimidade. A experiência de ser uma só carne é mais do que um ato físico. Envolve emoções, espírito, pensamentos, enfim, todo o nosso ser. A própria palavra *relação* transmite a ideia de diálogo, de participar da vida do outro. Nenhum outro relacionamento é mais íntimo do que a relação sexual. É a celebração de nossa intimidade emocional, intelectual e espiritual. É uma experiência que cria vínculos.

Essa união física não pode ser separada da união intelectual, emocional, social e espiritual. É por meio da intimidade nessas áreas que surge o ambiente propício para que a relação sexual cumpra seu propósito sublime. É o auge, a celebração da profundidade e da intimidade do relacionamento que temos um com o outro. O ato sexual por si mesmo não cria intimidade conjugal, embora o sexo intensifique consideravelmente nossa sensação de intimidade. É tanto uma celebração da intimidade quanto uma forma de aprofundá-la. A natureza abrangente da relação sexual é ilustrada por Paulo:

> Vocês não sabem que seu corpo é, na realidade, membro de Cristo? Acaso um homem deve tomar seu corpo, que faz parte de Cristo, e uni-lo a uma prostituta? De maneira nenhuma! E vocês não sabem que se um homem se une a uma prostituta ele se torna um corpo com ela? Pois as Escrituras dizem: "Os dois se tornam um só".
>
> 1Coríntios 6.15-16

Paulo apresenta tanto uma verdade espiritual quanto uma verdade física. No âmbito espiritual, estamos unidos a Cristo de uma forma tão profunda que nos tornamos um com ele e fazemos parte de seu corpo. No âmbito humano, Paulo falou sobre o absurdo de nos tornarmos um com uma prostituta, alguém com quem não temos nenhum relacionamento e compromisso. Uma vez que o ato sexual cria vínculos, no final das contas não existe sexo casual. Durante o ato sexual, quer desejemos quer não, algo acontece no âmbito emocional, espiritual e social. Essa é uma das razões para as advertências severas quanto a relações sexuais fora do casamento.

Ações judiciais desencadeadas por certos encontros sexuais mostram o caráter social dessa experiência. O trauma emocional que envolve culpa, raiva, ressentimento, solidão e outros sentimentos que acompanham esses casos extraconjugais indicam que as pessoas não colocam suas emoções em cima da cabeceira enquanto praticam o ato sexual. Doenças venéreas são outro lembrete de que a relação sexual é um ato físico. Quando Deus condena o sexo extraconjugal, mostra que essa relação tem dimensões espirituais. O fato de recordarmos a experiência sexual, tanto em seus aspectos negativos quanto positivos, mesmo muito tempo depois do ocorrido, mostra que nosso intelecto estava participando do processo. Portanto, a relação sexual envolve o indivíduo em sua totalidade. Não pode ser praticada apenas como um ato físico de prazer momentâneo.

O terceiro propósito do relacionamento sexual conjugal é o prazer. Alguns cristãos têm dificuldade em acreditar que Deus criou o sexo para nosso prazer. Pensam que Deus os observa lá do céu, como quem diz: "Tem alguém se divertindo aí embaixo? Pode parar com isso!". Contudo, não é essa a imagem que a Bíblia apresenta de Deus. Pelo contrário, a Bíblia mostra que Deus fez várias coisas para nosso prazer, e o ato sexual é uma delas. Por exemplo, em Deuteronômio 24.5, Deus instruiu Israel: "O homem recém-casado não será recrutado para o serviço militar nem receberá nenhuma outra responsabilidade oficial. Estará livre para passar um ano em casa, proporcionando alegria à mulher com quem se casou". As palavras traduzidas como *proporcionando alegria* são termos hebraicos que se referem ao prazer de se relacionar sexualmente. Em outras palavras, Deus disse: Nada de trabalho e de guerra; passe um ano aprendendo a dar prazer à sua esposa.

Cânticos de Salomão, registrado no Antigo Testamento, descreve o prazer do sexo no casamento em termos tão apaixonados que alguns até questionaram a presença desse livro na Bíblia. A única explicação é que Deus queria nos dar uma mensagem clara sobre o prazer que deseja que experimentemos ao nos relacionarmos sexualmente. Veja como o rei Salomão descreve o prazer do sexo com sua esposa:

> Como são lindos seus pés calçados com sandálias,
>   moça com porte de princesa!
> As curvas de seus quadris são como joias,
>   trabalho de artífice habilidoso.
> Seu umbigo tem forma perfeita,
>   como taça cheia de vinho de boa mistura.
> Sua cintura é como um monte de trigo
>   cercado de lírios.
> Seus dois seios são como duas crias,
>   como filhotes gêmeos da gazela.
> Seu pescoço é gracioso
>   como uma torre de marfim.
> Seus olhos são como os açudes cristalinos de Hesbom,
>   junto à porta de Bete-Rabim.
> Seu nariz é belo como a torre do Líbano,
>   de onde se avista Damasco.
> Sua cabeça é majestosa como o monte Carmelo,
>   e o brilho de seu cabelo irradia nobreza;
>   o rei é prisioneiro de suas tranças.
> Como você é linda!
>   Como você é agradável, meu amor,
>   e cheia de delícias!
> É esbelta como uma palmeira,
>   e seus seios são como os cachos de frutos.
> Eu disse: "Subirei a palmeira
>   e me apossarei de seus frutos".
> Que seus seios sejam como cachos de uva,
>   e que o aroma de sua respiração tenha o perfume das maçãs.
> Que seus beijos sejam como o melhor vinho.
>
> Cânticos 7.1-9

Mas não foi uma experiência unilateral. Veja o que a esposa responde:

> Meu amado é moreno e fascinante;
>   ele se destaca no meio da multidão!
> Sua cabeça é como o ouro puro,
>   seu cabelo ondulado, preto como o corvo.
> Seus olhos são como pombas junto aos riachos,
>   incrustados como joias lavadas em leite.
> Suas faces são como jardins de especiarias
>   que espalham sua fragrância.
> Seus lábios são como lírios
>   perfumados com mirra.
> Seus braços são como barras redondas de ouro,
>   enfeitadas com berilo.
> Seu ventre é como marfim polido,
>   que resplandece com safiras.
> Suas pernas são como colunas de mármore
>   apoiadas em bases de ouro puro.
> Seu porte é majestoso,
>   como o dos cedros do Líbano.
> Sua voz é a própria doçura;
>   ele é desejável em todos os sentidos.
> Esse, ó mulheres de Jerusalém,
>   é meu amado, meu amigo.
>
> Cânticos 5.10-16

Não podemos negar que há prazer físico na relação sexual, mesmo quando não há compromisso. No entanto, esse tipo de relação não pode ser comparado à experiência sexual dentro do casamento. Observe as implicações emocionais, intelectuais e sociais na resposta da esposa em Cânticos 7.10: "Eu sou de meu amado, e ele me deseja". Fica evidente uma sensação profunda de relacionamento, de pertencer ao outro. Os aspectos emocionais, intelectuais e sociais realçam o relacionamento sexual. Sem essa dimensão mais ampla de compromisso, profanamos o propósito da relação sexual e a reduzimos à vulgaridade, um mero ato físico.

Diferenças sexuais no casamento

Talvez você esteja pensando: "Quer saber, chega desse papo idealista e romântico sobre prazer e companheirismo na relação sexual. Voltemos ao mundo real. Nada disso corresponde às minhas experiências". Verdade seja dita, obter satisfação mútua no aspecto sexual do casamento não é algo que acontece automaticamente. Não ocorre pelo simples fato de estarmos casados. Acredito que essa seja uma das razões pelas quais Deus instruiu os israelitas recém-casados a passar um ano em lua de mel. Assim como precisamos crescer juntos na intimidade intelectual e emocional ao longo dos anos, também precisamos crescer juntos sexualmente. Se fizermos apenas aquilo que nos ocorre naturalmente, talvez nunca encontremos satisfação mútua na área sexual do casamento. Nossas diferenças sexuais com frequência se tornam obstáculos à união sexual. Vejamos algumas dessas diferenças.

Necessidades sexuais

Em primeiro lugar, existem diferenças quanto à natureza de nossas necessidades sexuais. A necessidade sexual do homem é fundamentalmente física. Recapitulemos a anatomia sexual masculina: as gônadas produzem continuamente espermatozoides que ficam guardados nas vesículas seminais, junto com o fluido seminal. Quando essas vesículas estão cheias, ocorre uma contração física para liberá-las. Isso pode ocorrer por meio da polução noturna, masturbação ou relação sexual. Foi assim que Deus criou o homem.

Quanto à mulher, a necessidade sexual feminina é de cunho mais emocional, ligada ao desejo de sentir-se amada. Quando houver esse sentimento, ela buscará intimidade física com o marido que a ama. Se não houver intimidade emocional, é possível que ela tenha pouco interesse na relação sexual. Compreender e respeitar essas diferenças quanto à natureza de nossas necessidades sexuais nos ajudará a aprofundar nossa intimidade sexual.

Às vezes esquecemos que o sexo oposto é oposto. Quando o marido se esquece disso, fica ressentido porque a esposa não age como ele, e vice-versa. Homens e mulheres são diferentes. Quanto antes compreendermos e aceitarmos nossas diferenças, mais rapidamente alcançaremos a satisfação sexual.

Essas diferenças também explicam por que, muitas vezes, o marido deseja fazer sexo com mais frequência do que a esposa. Uma vez que suas necessidades sexuais são essencialmente de natureza física, o homem possuiu um apetite mais regular, quer o relacionamento esteja emocionalmente bom, quer não. Embora o desejo sexual da mulher seja ajustado por seu ciclo hormonal, sua necessidade sexual é mais estimulada pelo relacionamento emocional e intelectual com seu marido. Isso significa que o marido deve enfatizar mais o amor não sexual, ou seja, deve comunicar o amor e carinho que sente por sua esposa de uma forma que seja significativa para ela. Deve aprender a falar regularmente sua linguagem do amor, não se esquecendo, porém, de usar as outras quatro linguagens. Sem essa intimidade emocional, o marido não deve esperar da esposa um nível de desejo sexual semelhante ao dele.

Jeff teve uma discussão acalorada com Vera e acabou dizendo algo que a magoou. Ele foi assistir televisão e ela ficou chorando. Após trinta minutos de silêncio, os dois vão para a cama. Tentando ser gentil e querendo se desculpar pelas palavras impensadas, o marido tenta tocar a esposa. Mas ela se retrai imediatamente, e isso o deixa com raiva. "Estou tentando me desculpar por meu erro", raciocina o marido, enquanto ela pensa: "Ah, agora você quer sexo. E você nem me ama. Como pôde ser tão insensível?". Se Jeff tivesse compreendido as diferenças da natureza do impulso sexual entre homem e mulher, teria feito um pedido de desculpas verbal e declarado seu amor pela esposa. Não deveria esperar por sexo sem antes lhe dar um tempo para se recuperar emocionalmente.

Padrões de excitação

Outra área em que temos diferenças é o modo como ficamos excitados sexualmente. Apesar de a sociedade moderna se esforçar para nos tornar unissex, continuamos a possuir características masculinas e femininas. A tendência de ficar sexualmente excitado por meio da visão é muito maior no homem do que na mulher. Essa diferença explica por que o homem já está pronto para o sexo somente observando sua esposa se despir antes de ir para a cama. Por outro lado, a esposa pode olhar seu marido se despir sem que nenhum pensamento sexual lhe ocorra. Se uma esposa não quer sexo, sugiro que tire as roupas longe do marido; se, pelo contrário, deseja estimular seu marido, despir-se na frente dele é uma forma de alcançar esse objetivo.

A mulher é mais estimulada por toques carinhosos, palavras gentis, atos de serviço ou tempo de qualidade, dependendo de sua linguagem do amor. Essa diferença significa que uma esposa não será estimulada a ter relação sexual da mesma forma que o marido. Com calma, ele deve empregar palavras gentis, carícias e outros meios para fazer com que ela se sinta amada e alcance o mesmo nível de interesse sexual que ele atingiu simplesmente pela estimulação visual.

Uma palavra de advertência se faz necessária. Uma vez que o homem não faz muita distinção entre os elementos femininos que o estimulam, pode ficar excitado ao ver uma mulher na televisão ou mesmo na rua. Essa excitação não é pecaminosa, mas pode transformar-se rapidamente em lascívia. No mundo contemporâneo, onde a pornografia tornou-se algo comum, o marido cristão deve ser diligente em manter seu coração e sua mente focados em sua esposa. A lascívia é o desejo por algo proibido. Martinho Lutero disse: "Não podemos evitar que um passarinho voe sobre nós, mas não precisamos deixar que faça um ninho em nossa cabeça". Do mesmo modo, o marido cristão não pode impedir que esses pensamentos ocorram, mas sem dúvida pode evitar alimentá-los. A Bíblia nos diz que devemos levar cativo todo pensamento e emoção em obediência a Cristo (2Co 10.5). A responsabilidade do marido é "ter olhos somente para sua esposa", e a esposa que compreende a natureza do estímulo sexual do marido entenderá a importância de se manter fisicamente atraente. O marido que compreende essa diferença dará à esposa a certeza de seu amor e compromisso, de modo que sua necessidade por segurança esteja suprida e ela não tenha motivos para se preocupar com os olhares distraídos dele.

Reação ao estímulo sexual

Outra diferença refere-se ao contexto da relação sexual em si. A reação física e emocional do homem geralmente é mais rápida e impetuosa, ao passo que a reação da mulher em geral é mais lenta e duradoura. Um dos problemas mais comuns que surge dessa diferença é a ejaculação precoce, quando o marido chega ao clímax muito rápido durante o sexo e depois retorna a um estado emocional normal. E a esposa, que provavelmente estava apenas começando a se excitar, fica imaginando o que há de tão especial no sexo. Compreender essas diferenças em nossas reações sexuais nos ajudará a colaborar com a forma com que Deus nos criou e a encontrar maneiras de satisfazer nossas necessidades mútuas.

Muitos se casam pensando que é normal ter orgasmos *simultâneos* cada vez que têm relações sexuais. No entanto, devido às razões já explicadas, isso não acontece para a maioria, e nem é importante para a satisfação sexual. O importante é que cada um tenha a liberdade de atingir o orgasmo se assim desejar. Não importa quem chega lá primeiro ou quanto tempo se passa entre os dois. Nosso objetivo é satisfazer as necessidades sexuais um do outro. Muitas esposas não se importam de não atingirem o orgasmo em todas as relações sexuais; seja por cansaço ou outras razões, simplesmente não desejam gastar sua energia com isso. A esposa se satisfaz em saber que ama e é amada, contenta-se em ajudar o marido a chegar ao clímax e fica feliz por perceber claramente o amor que seu marido tem por ela.

Cada um de nós precisa saber que nosso cônjuge está comprometido com nosso bem-estar e disposto a nos fazer feliz. Se essa busca pelo prazer for unilateral ou forçada, nunca encontraremos satisfação mútua. O amor deve ser expresso por ambas as partes e concedido como um presente. Podemos *solicitar* prazer, mas nunca *exigir*.

Muitos perguntam por que Deus nos criou tão diferentes, por que é tão difícil encontrarmos satisfação mútua no âmbito das relações sexuais. Alguns observaram que os animais não parecem ter as mesmas dificuldades que os humanos; para os animais, o sexo é natural. Acredito que Deus nos fez diferentes porque planejou a relação sexual para ser mais do que apenas um ato reprodutivo. Criou-a como expressão do amor sincero que sentimos um pelo outro. Não encontraremos satisfação mútua a menos que seja uma experiência de amor em que um busca o bem-estar do outro. Se fizermos dessa experiência um ato de amor construído sobre os alicerces da intimidade emocional, intelectual e espiritual, o sexo se tornará uma celebração e um vínculo que nos aproximarão ainda mais um do outro.

A expressão "fazer amor" realmente transmite a ideia certa. No entanto, muitas vezes não fazemos amor, mas apenas sexo. Porém, quando um marido diz: "Como posso dar prazer a você?" e sua esposa age de modo recíproco, o sexo no casamento é mutuamente satisfatório.

Promovendo a unidade sexual

Unidade sexual significa que marido e esposa se satisfazem fisicamente de modo recíproco. Como isso é possível?

Compromisso

A unidade sexual começa com o compromisso. O cônjuge que utiliza a ameaça de abandonar o outro para conseguir o que deseja está, na verdade, destruindo seu casamento. "Vou embora" ou "Por que você não pede o divórcio?" são expressões que, além de mostrar frustração com o casamento, envenenam a intimidade sexual. O casamento é fundamentado na aliança, não na coerção. Como já vimos, o casamento de aliança envolve a disposição de assumir um compromisso que declaramos durante a cerimônia de casamento: "Na riqueza e na pobreza, na doença e na saúde, para amar e honrar, até que a morte nos separe". Esse compromisso precisa ser reafirmado constantemente, de formas sutis e explícitas, ao longo do casamento. Se percebermos que o outro está comprometido conosco para a vida toda e que não precisamos temer a separação, então haverá um ambiente propício para crescermos juntos sexualmente. O compromisso é o fator que propicia esse ambiente de confiança.

Mas esse compromisso não está limitado a simplesmente permanecer casado. É um compromisso mútuo de entrega sexual. Em nenhum outro lugar da Bíblia vemos isso tão claramente quanto em 1Coríntios 7.3-5:

> O marido deve satisfazer as necessidades conjugais de sua esposa, e a esposa deve fazer o mesmo por seu marido. A esposa não tem autoridade sobre seu corpo, mas sim o marido. Da mesma forma, não é o marido que tem autoridade sobre seu corpo, mas sim a esposa. Não privem um ao outro de terem relações, a menos que ambos concordem em abster-se da intimidade sexual por certo tempo, a fim de se dedicarem de modo mais pleno à oração. Depois disso, unam-se novamente, para que Satanás não os tente por causa de sua falta de domínio próprio.

Nossos desejos sexuais naturais, concedidos por Deus, devem ser satisfeitos dentro do relacionamento conjugal. Quando isso acontece, nos livramos das tentações que podem vir de fora do casamento. A exortação de 1Coríntios 7.5 nos diz para não trairmos um ao outro. Depois que nos casamos, assumimos o compromisso de satisfazer mutuamente nossas necessidades sexuais. Se houver problemas, é por meio desse compromisso que buscaremos as respostas. Se houver frustração ou temor quanto ao sexo por causa de experiências passadas, nos comprometemos a encontrar cura de modo a crescermos na alegria da intimidade sexual. Esse tipo de compromisso cria um ambiente de segurança e confiança.

Ter compromisso é uma forma de dizer que ambos estão procurando se desenvolver até encontrarem satisfação mútua na relação sexual conjugal. Assumir esse compromisso produz esperança e proporciona um ambiente seguro para o crescimento. Contudo, quando um dos cônjuges, ou ambos, presta pouca atenção às necessidades sexuais do outro e emprega pouco esforço para aprender ou se desenvolver nessa área do casamento, surge um clima de mágoa, decepção e, por fim, hostilidade. Num casamento cristão, essas atitudes egoístas precisam ser reconhecidas como pecado e é necessário buscar o perdão de Deus e do cônjuge, enquanto prosseguimos nos entregando um ao outro e renovando nosso compromisso mútuo.

Comunicação

O segundo princípio para melhorar a satisfação sexual é: a comunicação é mais importante do que o desempenho. Muitos enfatizam a técnica e o desempenho como se fossem elementos essenciais para a intimidade sexual, mas não é o caso. Claro que a Bíblia não condena posições sexuais e técnicas diferentes, mas a ênfase bíblica recai sobre a intimidade, não sobre o desempenho. Intimidade sexual é o resultado de um relacionamento que, por sua vez, é promovido pela comunicação. A relação sexual não é um ato que produz intimidade, mas sim uma consequência dela. Problemas sexuais não serão resolvidos simplesmente por meio da técnica. As preliminares sexuais não começam após nos deitarmos na cama, mas doze ou dezesseis horas *antes* de irmos para cama.

Não haverá intimidade sexual se não mantivermos os

canais de comunicação abertos durante o dia, dividindo nossa vida intelectual, emocional e social, ouvindo e sendo ouvido, compreendendo e sendo compreendido. Aquele período diário para conversar, conforme vimos anteriormente (falar sobre três coisas que aconteceram na sua vida hoje e como se sentiu em relação a elas), é algo tão importante para a satisfação sexual quanto o alimento é para o corpo. Criamos um ambiente para o desenvolvimento da intimidade sexual quando ouvimos um ao outro, expressando interesse nas experiências e nos sentimentos de nosso cônjuge ao longo do dia. Todos os princípios discutidos neste livro estão diretamente relacionados à obtenção de unidade sexual.

Precisamos mostrar um espírito de empatia e compreensão. Será muito difícil, senão impossível, obter satisfação sexual caso o dia tenha transcorrido com desrespeito, insensibilidade e conflitos não resolvidos. De tempos em tempos, algum casal me diz que não consegue encontrar tempo para conversar durante o dia. Respondo que, se não houver tempo para conversar, não haverá tempo para fazer sexo. Ou seja, não há tempo para o casamento. Casais sensatos arranjam tempo para conversar e buscar satisfação sexual.

Também precisamos falar um com o outro sobre nossas necessidades sexuais. Pelo fato de sermos diferentes e termos desejos e necessidades diferentes, não haverá satisfação mútua se não conversarmos sobre essas necessidades. Por isso, precisamos compartilhar com o outro aquilo que nos dá prazer, irrita ou causa desânimo na relação sexual. Isso deve ser compartilhado sem julgamentos, de forma a trocarmos informações que poderão nos ajudar a satisfazer um ao outro. "O que você gostaria que eu fizesse, ou não fizesse, para estimular sua sexualidade?" Essa seria uma boa pergunta para os cônjuges fazerem um ao outro a cada três meses pelos próximos anos. Atender aos pedidos de seu cônjuge enriquecerá a satisfação sexual.

Quando digo que a comunicação é mais importante do que o desempenho, não quero com isso minimizar o valor dos livros cristãos que tratam de questões relacionadas ao desempenho sexual. Acredito que muitos casais se beneficiariam desses títulos.* O que quero dizer é que a satisfação sexual não surge de uma mágica, mas é a consequência natural do desenvolvimento de um relacionamento de amor.

Amor

O terceiro princípio que conduz à unidade sexual é: o amor é o jardim onde cresce a intimidade sexual. Se desejamos ter satisfação sexual, não podemos separar o amor da intimidade. A experiência física é intensificada pelo relacionamento emocional, intelectual e espiritual, uma vez que a relação sexual envolve não apenas os órgãos sexuais, mas também a mente, as emoções e o espírito. Quando falo em *amor*, estou me referindo ao esforço consciente de buscar o interesse da outra pessoa.

Amar é tanto uma atitude quanto uma emoção. Podemos escolher nossas atitudes, e isso determina nossas emoções. Se decidirmos pensar o melhor um do outro e buscar o interesse um do outro, tentaremos encontrar uma forma de expressar essa atitude. Quando expressamos carinho utilizando a linguagem do amor que o outro melhor compreende, provavelmente nosso cônjuge se sentirá amado e nós nos sentiremos bem com isso, pois saberemos que fizemos a escolha certa. Por outro lado, se assumirmos uma atitude de apatia ou raiva (isto

---

*Um livro excelente sobre o assunto é *O sexo é um presente de Deus*, de Clifford e Joyce Penner (Curitiba: Atos, 1999).

é, de isolamento ou revanche), passaremos a nos comportar dessa forma, e o cônjuge se sentirá rejeitado, odiado ou não amado. O indivíduo que tem essas atitudes se sentirá mal não apenas com seu casamento, mas também consigo mesmo.

Marido e esposa cristãos são chamados a expressar amor incondicional, pois Deus é nosso exemplo: "Mas Deus nos prova seu grande amor ao enviar Cristo para morrer por nós quando ainda éramos pecadores" (Rm 5.8). E mais: "Deus nos ama, uma vez que ele nos deu o Espírito Santo para nos encher o coração com seu amor" (Rm 5.5). Como cristãos, podemos expressar o amor de Deus por nosso cônjuge mesmo quando não temos sentimentos agradáveis por ele. Quando decidimos amar e expressar esse amor de maneira prática, criamos um ambiente onde a intimidade sexual pode florescer.

Privacidade

O quarto princípio é: a privacidade conduz à tranquilidade. A relação sexual é um ato privado. Conforme vimos na Bíblia, é a expressão singular do amor e compromisso mútuo entre marido e mulher; é um ato de celebração e compromisso. Compartilhar isso com o mundo é colocar tudo a perder. Compartilhar as alegrias e as dificuldades do relacionamento sexual com amigos provavelmente diminuirá as alegrias e aumentará as dificuldades. O melhor lugar para conversar sobre dificuldades sexuais é na sala de um conselheiro matrimonial, não com amigos. Sem dúvida podemos falar sobre sexo em locais públicos. Podemos explicar a anatomia masculina e feminina e o papel dos órgãos na relação sexual. Podemos, e devemos, falar sobre essas coisas abertamente. Contudo, isso é bastante diferente de falar sobre detalhes do que acontece quando você faz sexo com seu cônjuge. Não há nenhum propósito em fornecer detalhes explícitos de suas experiências particulares para a família, os amigos ou estranhos. Muitas vezes, essas informações compartilhadas abrem caminho para pensamentos e desejos lascivos que acabam em casos extraconjugais.

Talvez ocorram problemas de ordem prática quando os casais reconhecem que a experiência sexual é de cunho privado. Alguns têm dificuldade em encontrar momentos a sós numa casa cheia de filhos curiosos. Na verdade, a falta de privacidade leva alguns casais a uma diminuição significativa da atividade sexual. Embora as crianças acabem levando a culpa por isso, é responsabilidade do casal encontrar momentos de privacidade para desfrutar a vida sexual.

* * *

Em resumo, a satisfação sexual mútua é resultante do compromisso do casal em dar prazer um ao outro. Quando os cônjuges entregam seu corpo mutuamente, conforme Paulo ordenou em 1Coríntios 7.4, ambos encontram satisfação sexual. Um casal comprometido em dar prazer um ao outro experimenta a verdade sobre a qual Jesus falou: "Deem e receberão. Sua dádiva lhes retornará em boa medida, compactada, sacudida para caber mais, transbordante e derramada sobre vocês. O padrão de medida que adotarem será usado para medi-los" (Lc 6.38).

Às vezes, nossa dificuldade em satisfazer o cônjuge está no fato de que fomos ofendidos, magoados ou abusados por essa pessoa. Nesse caso, precisamos seguir a exortação bíblica de confrontar o cônjuge em amor e buscar a reconciliação. Depois disso, por meio do perdão genuíno, devemos expressar amor buscando agradar ao outro novamente. A intimidade sexual se tornará uma realidade quando os dois se comprometerem em dar prazer um ao outro.

No capítulo 22, vamos tratar de uma quarta área importante para a intimidade do casal cristão: a espiritual.

Questões para refletir

1. Cite os três propósitos da intimidade sexual e as possíveis consequências de se transgredir o desígnio de Deus.
2. Cite algumas diferenças sexuais comuns entre homens e mulheres.
3. Quais são os quatro princípios básicos para a unidade sexual?
4. Cite algo que você fez esta semana para incentivar seu cônjuge (verbalmente ou não).

Aceitamos

Independentemente do tempo que você está casado, nunca é tarde para fazer uma "revisão do sexo" esporádica com seu cônjuge. Utilizando os quatro princípios abordados neste capítulo, pense em algumas soluções práticas para aprimorar a unidade sexual:

- *Compromisso*. Talvez envolva sarar feridas antigas, mudar as prioridades, encontrar tempo e força de vontade para continuar tentando, ou qualquer outro compromisso menor que sirva ao compromisso maior de alcançar uma intimidade sexual mutuamente satisfatória.
- *Comunicação*. Certamente deve começar com a pergunta: "O que você gostaria que eu fizesse, ou não fizesse, para

estimular sua sexualidade?". Essa conversa pode ser mais fácil para alguns do que para outros. Certifique-se de que seu cônjuge se sinta seguro, já que está confiando uma informação delicada a você.
- *Amor.* Uma preliminar sexual começa doze ou dezesseis horas antes da relação sexual. O que você está fazendo para expressar amor pelo outro? Está expressando isso por meio da linguagem do amor de seu cônjuge?
- *Privacidade.* Demonstre maturidade, respeito e amor por seu cônjuge ao manter todas as questões sexuais entre vocês dois. Assegure-o de que a vida sexual de vocês é confidencial e exclusiva — e mantenha esse compromisso. Encontre uma forma reservada de compartilhar a vida sexualmente, independentemente do tamanho da casa ou do número de filhos.

Esses princípios estão nitidamente entrelaçados. Parte do nosso compromisso envolve uma comunicação aberta; uma forma de cultivar o amor é mantendo a privacidade; e assim por diante. Ao revisar esses princípios, identifique formas específicas e práticas de aplicá-los ao seu casamento.

22
Intimidade espiritual

Nos últimos capítulos discutimos a intimidade conjugal, aquele senso de união que se desenvolve entre marido e esposa durante a vida. Discutimos a intimidade intelectual, emocional e, particularmente, a sexual. Neste capítulo, estudaremos a intimidade espiritual. Para alguns casais, esta pode ser a área onde há menos intimidade conjugal. Para outros, pode ser a área mais forte. O propósito deste capítulo é estimular mais intimidade espiritual.

Começarei fazendo distinção entre crescimento espiritual e intimidade espiritual. Crescimento espiritual refere-se ao indivíduo, algo que acontece entre você e Deus. Intimidade espiritual, ao contrário, é aquela sensação de proximidade que ocorre quando marido e esposa compartilham um com o outro algo de seu crescimento espiritual. A maior parte deste capítulo é dedicada ao desenvolvimento da intimidade espiritual, mas vamos começar discutindo dois assuntos importantes: o que é crescimento espiritual, e a necessidade de termos uma vida espiritual antes de crescermos espiritualmente.

Crescimento espiritual

O que é crescimento espiritual? A definição cristã é simples: tornar-se cada vez mais parecido com Cristo. No entanto, isso não deve ser equiparado à participação em atividades religiosas.

Pelo contrário, o crescimento espiritual tem a ver com mudanças que ocorrem no íntimo: atitudes, valores e estilo de vida.

A ideia de que crescimento espiritual tem a ver com "tornar-se como Cristo" é encontrada no Novo Testamento. Nas palavras de Paulo:

> Tenham a mesma atitude demonstrada por Cristo Jesus.
>
> Embora sendo Deus,
>   não considerou que ser igual a Deus
>   fosse algo a que devesse se apegar.
> Em vez disso, esvaziou a si mesmo;
>   assumiu a posição de escravo
>   e nasceu como ser humano.
> Quando veio em forma humana,
>   humilhou-se e foi obediente
>   até a morte, e morte de cruz.
>
> Filipenses 2.5-8

O ensinamento é claro: devemos pensar e viver como Cristo pensou e viveu.

Paulo salienta isso quando diz em 1Coríntios 11.1: "Sejam meus imitadores, como eu sou imitador de Cristo", e um pouco antes, nessa mesma carta:

> Portanto, suplico-lhes que sejam meus imitadores. Por isso enviei Timóteo, meu filho amado e fiel no Senhor. Ele os lembrará de como sigo Cristo Jesus, de acordo com o que ensino em todas as igrejas, em qualquer lugar aonde vou.
>
> 1Coríntios 4.16-17

Paulo demonstra crescimento espiritual. Diz, em outras palavras: "Estou seguindo a Cristo; portanto, sigam meu exemplo.

Estou ensinando o que Cristo ensinou; portanto, aceitem esse ensinamento como confiável". Na opinião de alguns, trata-se de declarações extremamente egocêntricas. Na verdade, porém, todo cristão deveria ser capaz de afirmar o mesmo, ou pelo menos esse deveria ser nosso objetivo. Se continuarmos crescendo espiritualmente, imitando as atitudes e o comportamento de Cristo, seremos capazes de convidar outros a seguir nosso exemplo. É uma ambição e tanto, mas claramente é o objetivo que Deus tem em mente para nós.

Um dos erros mais comuns na comunidade cristã é equiparar as atividades religiosas (frequentar os cultos, ler a Bíblia, orar etc.) com crescimento espiritual. Presumimos que seremos bons cristãos se estivermos engajados nas atividades corretas. Confundimos os meios com os fins. Se essas atividades nos ajudam a ser mais parecidos com Cristo, então podem ser consideradas meios de crescimento espiritual.

Todas essas atividades trabalham em conjunto para nos levar ao crescimento espiritual. Comparecendo aos cultos e estudos bíblicos, ouvimos a verdade sobre Cristo, encontramos encorajamento na comunhão com os irmãos e descobrimos oportunidades para servir aos outros. Na leitura da Bíblia, encontramos a verdade sobre Deus, aprendemos com os ensinamentos de Cristo e examinamos sua vida de perto nos Evangelhos. Na oração, expressamos nossas insuficiências e reconhecemos nossa dependência de Deus para vivermos da maneira como Cristo viveu.

Quando estudamos a vida de Cristo com atenção, descobrimos qualidades e características que Deus quer desenvolver em nossa vida. Jesus ensinou claramente que seus discípulos deveriam seguir seu exemplo. Essa verdade é ilustrada em Mateus 20.27-28, quando Jesus disse: "E quem quiser ser o primeiro entre vocês, que se torne escravo. Pois nem mesmo o Filho do Homem veio para ser servido, mas para servir". Jesus enfatizou as características do serviço quando disse, após lavar os pés dos discípulos: "Eu lhes dei um exemplo a ser seguido. Façam como eu fiz a vocês" (Jo 13.15). Depois desse ensinamento profundo por meio de seu exemplo, Jesus acrescentou: "Agora que vocês sabem estas coisas, serão felizes se as praticarem" (Jo 13.17). Parece claro que o crescimento espiritual não consiste apenas no acúmulo de conhecimentos bíblicos, mesmo que sejam os ensinamentos de Cristo. Crescimento espiritual se refere a *aplicar esses ensinamentos em nossa vida*. Nossa maior alegria encontra-se no crescimento espiritual: em nos tornarmos mais parecidos com Cristo.

Isso nos leva ao segundo assunto: crescimento espiritual pressupõe vida espiritual. Não é possível crescermos à semelhança de Cristo a menos que o Espírito de Cristo esteja vivendo dentro de nós. Ele nos concede vida espiritual e, portanto, o potencial para o crescimento espiritual. No entanto, o ser humano tem a capacidade de "colocar a carroça na frente dos bois". Minha opinião é que muitos estão tentando arduamente viver como bons cristãos quando, na verdade, nem sequer são cristãos. Ainda não receberam Jesus Cristo como Salvador pessoal e não convidaram o Espírito de Cristo para assumir o controle de sua vida. Sem o Espírito de Cristo, todo esforço para ser parecido com Cristo é inútil. Mais cedo ou mais tarde, essa pessoa fica frustrada e desiste.

Ouço com frequência: "Tentei ser cristão, mas não funcionou para mim". É uma conclusão correta, pois é impossível ter uma vida cristã sem o Espírito de Cristo. Para viver e crescer é necessário, antes de tudo, nascer.

Pouco tempo atrás, peguei um táxi entre o aeroporto O'Hare, em Chicago, e meu hotel. Estava conversando com o motorista e, em certo momento, ele me disse: "Fiz catecismo e frequentei a igreja por vários anos. Pensei que era um cristão, mas só recentemente aprendi como desenvolver um relacionamento pessoal com Jesus. Percebi que não havia convidado Cristo para controlar minha vida. Agora as coisas são diferentes. Estou estudando a Bíblia e crescendo como um cristão de verdade". Esse motorista ilustrou uma verdade fundamental: crescimento espiritual exige vida espiritual. Jesus afirmou claramente ser o Filho de Deus, o Salvador da humanidade, o Doador da vida. Se confessarmos nossos pecados e o recebermos como nosso Salvador, nos tornaremos filhos de Deus (Jo 1.12). A vida espiritual surge a partir desse momento, pois o Espírito de Cristo vem habitar conosco, nos concedendo o potencial para crescermos à semelhança de Cristo.

É na salvação que começamos a entender e conhecer a Deus, mas esse processo deve continuar por toda a vida. Paulo reconheceu isso quando disse: "Não estou dizendo que já obtive tudo isso, que já alcancei a perfeição. Mas prossigo a fim de conquistar essa perfeição para a qual Cristo Jesus me conquistou" (Fp 3.12). E Pedro nos instrui: "Cresçam na graça e no conhecimento de nosso Senhor e Salvador Jesus Cristo" (2Pe 3.18).

O crescimento espiritual é bastante parecido com o crescimento conjugal. Leva tempo e requer comunicação e compromisso. Resulta de nossa cooperação com o trabalho que o Espírito Santo realiza dentro de nós. Não podemos ser cristãos por nossos próprios esforços. Somente Deus pode produzir as qualidades de Cristo em nós, se permitirmos que o Espírito de Deus tenha liberdade para trabalhar em nossa vida. Paulo se refere a esse processo quando diz:

> Portanto, irmãos, suplico-lhes que entreguem seu corpo a Deus, por causa de tudo que ele fez por vocês. Que seja um sacrifício vivo e santo, do tipo que Deus considera agradável. Essa é a verdadeira forma de adorá-lo. Não imitem o comportamento e os costumes deste mundo, mas deixem que Deus os transforme por meio de uma mudança em seu modo de pensar, a fim de que experimentem a boa, agradável e perfeita vontade de Deus para vocês.
>
> Romanos 12.1-2

O crescimento espiritual é um processo por meio do qual nossa mentalidade habitual é transformada em um novo modo de pensar. Mas isso não acontece da noite para o dia. Recebemos vida nova no momento em que aceitamos a Cristo como Salvador, porém o processo de crescimento espiritual envolve nossa cooperação com o Espírito Santo e abertura para que as atitudes de Cristo se tornem nossas atitudes. Cabe a nós oferecer nossa vida como sacrifício vivo a Cristo, permitindo-lhe completar seu plano em nós.

É por isso que Paulo exortou os cristãos de Éfeso: "Não se embriaguem com vinho, pois ele os levará ao descontrole. Em vez disso, sejam cheios do Espírito" (Ef 5.18). Nessa frase, a expressão *sejam cheios* implica uma ação contínua. O controle diário do Espírito Santo em nossa vida nos torna parecidos com Cristo. Para alcançarmos o crescimento espiritual máximo, nossa oração diária deve ser: "Pai, hoje entrego minha vida a teu Espírito, para que tu faças em mim aquilo que me tornará mais parecido com Cristo. Dá-me um entendimento claro de teus caminhos conforme leio as Escrituras e concede-me poder para seguir os ensinamentos de Cristo".

Ler a Bíblia, estudá-la, memorizá-la e meditar nela em atitude de oração aumentará sua compreensão de Deus e do que ele deseja fazer em sua vida. Essa mesma dependência do poder do Espírito Santo permitirá que você mude pensamentos e padrões de comportamento negativos e se torne mais semelhante a Cristo. Não se trata de um processo mecânico, mas de um relacionamento crescente e genuíno com Deus, que satisfaz os anseios mais profundos do ser humano. Estava certo Blaise Pascal, o filósofo francês, quando disse que existe um "vazio do tamanho de Deus" dentro de cada coração humano e que somente Deus pode preenchê-lo. Quando buscamos crescimento espiritual, criamos um ambiente apropriado para que a intimidade espiritual se desenvolva em nosso casamento.

Intimidade espiritual

Para terem intimidade espiritual, marido e esposa não precisam estar no mesmo nível de crescimento espiritual. Contudo, a intimidade nessa área exige disposição de compartilhar nossa peregrinação espiritual um com o outro. Para algumas pessoas isso não é algo fácil de fazer. Tempos atrás, um marido me disse: "Sei que deveria conversar com minha esposa sobre coisas espirituais, mas como nosso relacionamento não está bom em outras áreas, sinto-me um hipócrita ao falar sobre Deus e a Bíblia". Seu comentário mostra como a vida espiritual não está separada do restante. Pode ser muito difícil falar sobre coisas espirituais se não desenvolvemos nossa intimidade emocional, intelectual e sexual. No entanto, podemos começar a desenvolver intimidade espiritual confessando nosso fracasso nessas áreas e nos voltando para Deus como casal, pedindo que nos ajude a construir não apenas intimidade espiritual, mas uma intimidade completa em nosso casamento. A intimidade espiritual genuína sempre enfrenta os problemas de forma honesta e realista. Se cada um experimentar uma renovação espiritual, então juntos, e com a ajuda de Deus, os dois começarão a desfrutar uma intimidade espiritual que afetará radicalmente a intimidade em todas as outras áreas.

Às vezes, um dos cônjuges se sente espiritualmente inferior ao outro e, por isso, passa a evitar a intimidade espiritual. Isso ocorre por diversas razões: não conhecer a Bíblia tão bem quanto o outro cônjuge, ser cristão há pouco tempo, não ter crescido num lar cristão, ou ficar envergonhado quando alguém lhe pergunta algo específico sobre a Bíblia durante os estudos bíblicos. Corremos o risco de passar vergonha quando falamos sobre coisas espirituais. O mecanismo emocional para lidar com esse risco é evitar qualquer assunto que esteja relacionado a questões espirituais. É fácil entender isso do ponto de vista psicológico, mas, do ponto de vista espiritual, essa atitude pode atrapalhar o crescimento.

Devemos nos lembrar de que o chão diante da cruz de Cristo é plano. Todos nós chegamos diante dele de joelhos. Não nos tornamos cristãos assumindo uma postura de superioridade espiritual, mas sim como pessoas que precisam encarecidamente de um Salvador. Nosso passado não nos torna mais aceitáveis diante de Deus. O que Cristo quer é o nosso "coração humilde e arrependido" (Sl 51.17). Todos os cristãos nascem como "bebês espirituais" e têm a responsabilidade de crescer. Lembre-se: crescimento espiritual não é "conhecer mais a Bíblia", mas "tornar-se mais parecido com Cristo". Não precisamos nos desculpar pelo estágio de crescimento em que nos encontramos, mas somos responsáveis pela continuidade desse crescimento.

Outra dificuldade que alguns casais têm para desenvolver intimidade espiritual são as experiências do passado. Certo marido tentou conversar com a esposa sobre a Bíblia, mas acabaram discutindo. Essas discussões geralmente são seguidas de retraimento e indisposição para voltar a falar sobre o assunto no futuro. Como temos formas diferentes de pensar, às vezes discordamos sobre a interpretação e a aplicação dos ensinos bíblicos. É inevitável que isso aconteça, pois somos humanos. A intimidade espiritual não exige que concordemos sobre todas as questões espirituais. Antes, requer disposição de compartilhar nossos pensamentos e ouvir os pensamentos e as experiências dos outros, em atitude de aceitação.

Aceitação não é o mesmo que concordância. Aceitação é o ato de reconhecer que todos nós estamos crescendo e que esse crescimento implica mudança. Minha interpretação de uma passagem bíblica pode mudar daqui a seis meses, conforme aprendo mais sobre as verdades bíblicas. Aceitação significa que você me concede liberdade para eu ser quem sou hoje, mesmo que não concorde com minha interpretação atual. Essencialmente, não buscamos concordância, mas crescimento espiritual: sermos mais parecidos com Cristo. Conforme chegamos mais perto dele, também chegamos mais perto um do outro e, desse modo, alcançamos nosso objetivo de ter intimidade espiritual.

Por trás de todos esses obstáculos à intimidade espiritual está o fato de que temos um inimigo espiritual. Satanás opõe-se tanto ao crescimento quanto à intimidade espiritual. Se ele nos fizer tropeçar nessa área da vida, enfraquecerá nosso testemunho para o mundo. Satanás usará de todos os métodos que se mostrarem eficazes para impedir nossa intimidade espiritual. Obtemos vitória sobre o inimigo quando descobrimos sua tática e resistimos pelo poder do Espírito Santo.

A boa notícia é que o Espírito Santo dentro de nós é maior do que o espírito de Satanás (1Jo 4.4). Não resistimos a ele com nossas próprias forças, pois não somos páreos para ele. Resistimos no poder do Espírito Santo, fundamentados no sacrifício de Cristo por nossos pecados e sua vitória sobre a morte. Alguns cristãos têm medo de Satanás, mas não é isso que Deus deseja. "Portanto, submetam-se a Deus. Resistam ao diabo, e ele fugirá de vocês" (Tg 4.7). Observe atentamente essa ordem: primeiro precisamos nos submeter a Deus, para depois resistirmos a Satanás. O inimigo não pode frustrar nossos esforços para alcançar crescimento e intimidade espiritual quando confiamos na presença e no poder de Deus.

Todos os outros aspectos do casamento saem ganhando ou perdendo de acordo com nosso relacionamento com Deus. Por isso, a intimidade espiritual deve ser prioridade para os cristãos. Conforme nos lembra o salmista: "Se o SENHOR não constrói a casa, o trabalho dos construtores é vão" (Sl 127.1).

Métodos para desenvolver intimidade espiritual

Como crescer na intimidade espiritual? Como intensificar o espírito de equipe e passar a torcer um pelo outro em sua jornada de crescimento espiritual? Como viver e trabalhar em conjunto com Deus e para ele? Aqui estão cinco sugestões práticas que, aplicadas ao casamento, desenvolverão a intimidade espiritual.

Dialogar

A intimidade espiritual é fortalecida quando os cônjuges falam e ouvem ao lidar com questões espirituais. O termo correto é *falar*, não *pregar*. Pregar para o cônjuge não ajuda a desenvolver intimidade espiritual. Na maioria das vezes, isso interrompe a comunicação. Quando pregamos para o cônjuge, transmitimos a ideia de "assim disse o Senhor". As palavras do cônjuge pregador seguem esta linha: "Ouça-me e lhe direi o que Deus quer que você faça". A maioria de nós não reage positivamente quando nosso cônjuge se torna um pregador.

A ênfase do diálogo está em compartilhar um com o outro o que Deus tem feito em nossa vida, como percebemos a voz dele por meio das Escrituras e do Espírito Santo, e as mudanças em nossa atitude e comportamento resultantes desse processo. Dialogar é uma forma de abrir a porta do coração para que o outro participe de nossas ideias sobre Deus e de nosso relacionamento com ele. A maioria das pessoas está disposta a aceitar essas informações quando não vêm embrulhadas em forma de sermão.

Aqui vão algumas ideias práticas para iniciar o diálogo:

1. Uma vez por semana, compartilhem um com o outro alguma coisa que leram na Bíblia, por que determinada passagem os impressionou, e como estão tentando aplicar esse versículo a sua vida.
2. Depois do culto, compartilhem coisas que consideraram importantes e encorajadoras no sermão (não percam tempo falando do que não gostaram).
3. Escolham um livro sobre vida cristã. Leiam um capítulo por semana e compartilhem aquilo que consideraram mais proveitoso para colocar em prática.
4. Compartilhem questionamentos sobre algum aspecto da Bíblia ou da vida cristã. Ouça com atenção quando seu cônjuge estiver comunicando suas percepções sobre o assunto.

Lembre-se de que ouvir é tão importante quanto falar. Quando seu cônjuge compartilhar algo com você, ouça com atenção, olhe nos olhos, acene com a cabeça, incline-se para a frente, e assim por diante. Tenha uma atitude de aceitação enquanto o outro fala, não de condenação. Aceite o que seu cônjuge está compartilhando como sendo as ideias dele naquele momento. Se você tiver uma explicação diferente e sentir necessidade de compartilhá-la, expresse-a como sua interpretação, não como a palavra final de Deus ou de algum teólogo famoso; esse tipo de atitude interrompe a comunicação espiritual de imediato. Quando compartilhar *insights* espirituais, fale sobre como isso está ajudando você, e não tente insinuar que seu cônjuge deve fazer o mesmo. Deixe espaço para o Espírito Santo trabalhar no coração de seu companheiro. Não tente fazer o trabalho de Deus.

Uma esposa me disse: "Gostaria de falar sobre coisas espirituais com meu marido se ele estivesse interessado, mas não estou disposta a competir com a televisão". Isso nos mostra que é necessário que o casal assuma o compromisso de falar sobre questões espirituais. Os cônjuges não conseguirão desenvolver intimidade espiritual a menos que estejam dispostos a conversar. Ao assumir esse compromisso, sou incentivado a dar atenção total quando minha esposa decide compartilhar alguma experiência de crescimento espiritual. Fico interessado no que ela tem a dizer, porque tenho o desejo de ficar mais perto dela e participar de seu mundo espiritual. Quero encorajá-la a alcançar vitórias, e apoiá-la quando me pedir auxílio. A qualidade da atenção que eu lhe dedicar será um fator determinante para incentivá-la ou desencorajá-la a conversar comigo.

Um marido de personalidade "mar Morto" queixou-se: "Não me importo de conversar sobre coisas espirituais, mas nossos diálogos se estendem muito e fico sem tempo para fazer outras coisas". Embora seja um comentário engraçado, essa é uma preocupação real e legítima para alguns. Uma solução para esse problema é estipular um limite de duração para esses diálogos. O "mar Morto" estará mais disposto a conceder atenção total à esposa por dez ou quinze minutos se souber que a conversa não se arrastará por horas.

Não pensem que vocês devem compartilhar apenas aquelas áreas da vida espiritual em que estão se tornando mais semelhantes a Cristo. Compartilhem também as áreas onde não está havendo progresso e peça que seu cônjuge ore por você. A intimidade espiritual não exige perfeição espiritual. Lembrem-se de que o objetivo de compartilhar não é resolver problemas teológicos ou corrigir o outro, mas sim encorajar um ao outro para enfrentar os desafios que Deus coloca diante de vocês a fim de se tornarem mais parecidos com Cristo.

Orar juntos

Por muitos anos ministrei o curso de preparação de noivos em minha igreja. Como parte do currículo, ensinei casais a orarem juntos como se estivessem conversando.

Esse tipo de oração informal consiste em orar sobre um assunto de cada vez. Cada pessoa compartilha uma frase ou duas sobre aquela petição e então passam para o próximo item. Algo bem parecido com uma conversa informal entre amigos. Após uma pequena demonstração, eu colocava cada casal numa sala separada e pedia que praticassem essa oração informal em voz alta por cinco minutos. Quando retornavam ao grupo, eu perguntava como eles se sentiram no início. Quase sempre eles respondiam que ficaram nervosos, desconfortáveis ou assustados. Quando eu perguntava como eles se sentiram no final do período de oração, a maioria respondia que se sentia próximo, confortável, descontraído ou com vontade de continuar. Orar juntos nos leva a desenvolver um senso de intimidade espiritual. Quando vamos juntos até Deus, também ficamos mais perto um do outro.

Há um grande potencial para a intimidade espiritual na oração em conjunto. Talvez seja por isso que alguns casais têm tanta dificuldade em fazer isso. Quando oramos juntos, nos aproximamos conscientemente de Deus e dividimos nossos pensamentos e sentimentos com ele. Oferecemos nosso louvor e nossa gratidão e fazemos pedidos e súplicas.

Alguns, porém, nunca desenvolveram a capacidade de orar em voz alta na presença de outra pessoa. Nesse caso, sugiro que orem em silêncio, deem as mãos e fechem os olhos. Quando terminarem, os dois podem dizer "amém" em voz alta. Dessa forma vocês oraram juntos. E Deus ouve a oração silenciosa também.

Quando orarem em locais públicos (culto, cerimônias etc.), vocês podem aprofundar a intimidade espiritual dando as mãos durante a oração. Esse ato simboliza uma união íntima com aquele que ora em voz alta. A oração em conjunto intensifica nosso relacionamento com Deus e também nosso senso de intimidade espiritual.

O mais importante não é o método, mas irmos juntos a Deus. Existe algo na prática da oração conjunta que une os corações. Sentimos que estamos mais perto um do outro e de Deus. Poucos exercícios espirituais oferecem tanto potencial para desenvolvermos intimidade espiritual.

Durante suas orações particulares diárias, ore por seu cônjuge. Mas seja específico; interceda por coisas que seu cônjuge compartilhou com você. Estude algumas orações bíblicas e ore por seu cônjuge de acordo com elas, especialmente aquelas orações que suplicam a Deus por sabedoria e poder espiritual (Ef 1.15-23; Fp 1.9-11). O livro de Salmos também pode ajudá-lo nessa tarefa: leia uma passagem e ore por seu cônjuge sobre aquilo que os versículos estiverem despertando em sua mente; prossiga na leitura e faça a mesma coisa com os versículos seguintes.

Jesus disse a Pedro: "Simão, Simão, Satanás pediu para peneirar cada um de vocês como trigo. Contudo, supliquei em oração por você, Simão, para que sua fé não vacile. Portanto, quando tiver se arrependido e voltado para mim, fortaleça seus irmãos" (Lc 22.31-32). Samuel disse: "Quanto a mim, certamente não pecarei contra o Senhor, deixando de orar por vocês" (1Sm 12.23). Essas e muitas outras passagens bíblicas nos exortam sobre o valor da oração intercessora por nossos irmãos na fé. Se a oração é o meio pelo qual ministramos às outras pessoas, por que deixar de fazer isso por nosso cônjuge? O que aconteceria em seu casamento se você orasse por seu cônjuge sempre que pensasse nele durante o dia? Porque não tentar e ver o que acontece?

Algum tempo atrás, uma esposa idosa me disse: "Comecei a praticar isso anos atrás. Sempre que eu queria pedir algo a meu marido, orava primeiro a Deus, dizendo: 'Senhor, ajuda meu marido a querer isto', e então fazia minha solicitação". Perguntei ao marido o que ele pensava da oração da esposa, e ele disse: "Bem, sempre que ela me pedia algo, eu orava: 'Senhor, ajuda-me a querer fazer isso', e depois repetia essa oração várias vezes enquanto procurava fazer o que ela me havia pedido. Geralmente o desejo chegava quando eu começava a fazer". Não estou sugerindo que isso seja um padrão para todos os casais. Apenas ofereço o exemplo de um casal que acredita que Deus está interessado no desenvolvimento de seu relacionamento conjugal. Talvez, se orássemos mais um pelo outro, teríamos não apenas uma intimidade espiritual melhor, mas também menos conflitos não resolvidos em nosso casamento.

Estudar as Escrituras

A Bíblia nos exorta: "Esforce-se sempre para receber a aprovação do Deus a quem você serve. Seja um bom trabalhador, que não tem de que se envergonhar e que ensina corretamente a palavra da verdade" (2Tm 2.15). Jesus foi o mestre e seus seguidores foram seus discípulos ou aprendizes. Nós também somos aprendizes dele. A Bíblia não é um manual, mas a vontade revelada de Deus para nossa vida. Ao estudar as Escrituras, descobrimos como Deus vê o mundo e qual nosso papel enquanto vivemos aqui. A intimidade espiritual pode melhorar consideravelmente quando o casal estuda a Bíblia em conjunto ou compartilha os frutos de seus estudos individuais.

Nenhum outro livro é tão magnífico quanto a Bíblia. Ela é uma compilação de 66 livros escritos em três línguas por cerca de 40 autores durante um período de aproximadamente 1.500 anos. Quando juntamos tudo isso, porém, temos uma única narrativa, que vai desde a criação da humanidade até o final da história humana. Nenhum texto contradiz outro, e todos se complementam. Ela conta a história do Deus Criador e da criatura, do amor de Deus por nós e seu desejo de ter comunhão conosco, do modo como ele providenciou para que fôssemos resgatados de nossos pecados e recebidos como filhos de Deus. Não há outro livro que mereça mais atenção do que a Bíblia ou que ofereça mais esperança e auxílio para a vida.

A Bíblia afirma ser a Palavra de Deus: "Nenhuma profecia nas Escrituras surgiu do entendimento do próprio profeta, nem de iniciativa humana. Esses homens foram impulsionados pelo

Espírito Santo e falaram da parte de Deus" (2Pe 1.21). Noutra ocasião, Pedro disse: "Os seres humanos são como o capim; sua beleza é como as flores do campo. O capim seca e as flores murcham, mas a palavra do Senhor permanece para sempre" (1Pe 1.24-25). Se a Bíblia é, de fato, a Palavra de Deus dirigida a nós, então sem dúvida devemos lê-la com entusiasmo e ouvir o que Deus tem a nos dizer. A intimidade espiritual é aprofundada conforme marido e esposa compartilham suas descobertas pessoais e participam nos grupos de estudos bíblicos. Aqui estão algumas ideias práticas para o estudo da Bíblia.

1. Estudem suas lições bíblicas individualmente. Depois, compartilhem algo que os impressionou ou dúvidas que tenham surgido. Por fim, discutam sobre aquilo que pode ser aplicado na prática.
2. Escolham um livro devocional para ler e depois comentem suas ideias sobre o texto.
3. Estudem juntos o livro *Building Relationships: A Discipleship Guide for Married Couples* [Construindo relacionamentos: Um guia de discipulado para casais].*
4. Inscrevam-se num curso de treinamento em discipulado oferecido por sua igreja. Além das sessões em grupo, compartilhem um com o outro sobre as lições.

Servir a Deus juntos

Outra forma de estimular a intimidade espiritual é servir a Deus juntos. Jesus disse que "nem mesmo o Filho do Homem veio para ser servido, mas para servir e dar sua vida em

---

*Gary D. Chapman, *Building Relationships: A Discipleship Guide for Married Couples* (Nashville, TN: LifeWay Christian Resources, 1995).

resgate por muitos" (Mt 20.28). O apóstolo Pedro disse que Jesus "foi por toda parte fazendo o bem" (At 10.38). O tema central da vida de Jesus era o serviço aos outros. Seu maior ato de serviço foi realizado na cruz, onde ele se entregou pelos pecados da humanidade. Como seus seguidores, somos exortados: "Não nos cansemos de fazer o bem. No momento certo, teremos uma colheita de bênçãos, se não desistirmos. Por isso, sempre que tivermos oportunidade, façamos o bem a todos, especialmente aos da família da fé" (Gl 6.9-10).

O grande desafio da vida cristã é servir aos outros sob a orientação de Deus. Desse modo, nos tornamos as mãos e os pés de Deus para nossa geração. Jesus nos ensinou que ao servirmos a outros estaríamos na verdade servindo a ele (Mt 25.40). O apóstolo Paulo disse: "Não andamos por aí falando de nós mesmos, mas proclamamos que Jesus Cristo é Senhor e que nós mesmos somos servos de vocês por causa de Jesus" (2Co 4.5).

Se o serviço a Deus é tão importante para a vida cristã, também deve ter um papel importante no desenvolvimento da intimidade espiritual no casamento. A maioria dos casais cristãos está envolvida em algum tipo de serviço cristão. Contudo, fazemos a maior parte de nosso serviço separados um do outro. A esposa dá aulas na escola dominical enquanto o marido participa do coral; o marido faz visitação nos lares enquanto a esposa é líder de um grupo missionário. Não há nada errado com isso. Sem dúvida, a maior parte de nosso serviço deve ser feita separadamente. Contudo, a intimidade espiritual aumentará se participarmos de algum projeto juntos.

Na igreja em que frequento, há anos a equipe da escola dominical é formada por casais, que são responsáveis por departamentos que vão desde o berçário até a classe de adultos.

Além de ser uma prática sadia na educação das crianças, é um modo extraordinário de melhorar a intimidade espiritual do casal. Muitos casais perceberam que algumas viagens missionárias de curto prazo podem aprofundar os laços espirituais. Lembro-me de um casal jovem que trabalhou comigo na construção de uma igreja numa pequena cidade no Brasil. Eles trabalhavam catorze horas por dia e, à noite, dormiam num quartinho onde cabia apenas um colchão de casal. Vinte anos se passaram desde aquela experiência, mas o casal nunca mais foi o mesmo. Voltaram com uma visão renovada sobre missões e se tornaram ativos em projetos para crianças, refletindo com alegria o que Deus fez na vida deles quando começaram a trabalhar juntos.

Muitos projetos são informais e não há pessoas gerenciando. Vocês simplesmente veem uma oportunidade e aproveitam para fazer algo. Um membro da igreja morre e vocês se oferecem para limpar a casa do cônjuge que ficou viúvo; conhecem uma mãe ou pai solteiro e se oferecem para levar o filho da pessoa para passear; um amigo está de mudança e vocês vão ajudá-lo; um idoso mora sozinho e vocês decidem passar algumas horas com ele para amenizar a solidão; alguém da igreja está com dificuldades financeiras e vocês decidem dar uma oferta em dinheiro como expressão de amor cristão; uma viúva precisa de ajuda com a manutenção da casa e vocês dois vão juntos cortar a grama, limpar a cozinha, lavar a roupa ou pintar as paredes. Nesses atos de serviço, surgem não apenas oportunidades de crescimento espiritual individual, mas também a oportunidade de desenvolver laços espirituais entre vocês que enriquecerão outras áreas da vida.

Atos individuais de serviço também aprofundam a intimidade espiritual. Não é possível fazer tudo juntos, mas podemos compartilhar um com o outro as oportunidades que Deus nos concede para ministrar. Ficamos alegres com o ministério individual do cônjuge e o encorajamos. O fator mais importante no casamento é compartilhar nossos projetos com o objetivo de orarmos um pelo outro e, dessa maneira, dividirmos as alegrias e os frutos do serviço.

Sonhar em conjunto

Conversei recentemente com um homem que me disse: "Estou pensando em me aposentar mais cedo. Minha esposa e eu queremos nos envolver em algum projeto missionário: construção de igrejas, assistência social, essas coisas. Temos um *trailer* onde pretendemos fazer viagens com duração de duas ou três semanas. Queremos gastar nossa vida dessa maneira". É emocionante ver as pessoas sonhando! No entanto, em vez de olhar para o futuro, muitos ficam presos no passado. Em vez de sonharmos com os planos de Deus para nosso futuro, ficamos angustiados com as decisões erradas que fizemos no passado ou com as coisas dolorosas que nos aconteceram. A intimidade espiritual é intensificada quando sonhamos juntos e conversamos sobre esses sonhos. Alguns sonhos se tornarão realidade, outros não. Contudo, ao sonharmos juntos e conversarmos sobre esses sonhos, a intimidade espiritual aumentará.

Sonhar e pensar em passos específicos para o crescimento espiritual produz expectativas. Aqui estão algumas ideias para o futuro, incluindo oportunidades de crescimento espiritual e serviço ao próximo.

- Participe de um encontro nacional de casais.
- Faça um curso de discipulado.
- Seja voluntário em algum ministério.

- Ajude a construir ou consertar uma igreja.
- Comece um projeto missionário.
- Inclua em seu orçamento doações para uma igreja ou instituição de caridade.
- Participe de uma viagem missionária.
- Lidere um grupo de apoio para casais.
- Prepare uma refeição para uma pessoa necessitada.
- Ajude um amigo idoso com a manutenção doméstica.
- Participe de algum conselho de sua igreja.

Marque as atividades que mais lhe agradam. Faça uma lista individual de sonhos e depois compartilhe com seu cônjuge. Estamos numa peregrinação que só terminará quando nosso Senhor retornar ou quando morrermos. Deus tem planos para vocês, e ambos devem responder ao chamado do Espírito Santo para realizar esses sonhos.

Sonhar é uma forma de espantar o desânimo com os erros do passado ou com a condição do mundo presente. Os sonhos semeiam esperança e ampliam nossa visão. Reconhecemos que não podemos realizar num dia ou numa semana o sonho de uma vida, mas podemos planejar nossos dias vindouros com sabedoria. Se sonharmos e planejarmos, poderemos aproveitar ao máximo o tempo que Deus nos concedeu.

Não recebemos as mesmas oportunidades nem os mesmos dons e habilidades. No entanto, somos responsáveis por aquilo que Deus nos deu. O Senhor tem planos para cada um de nós, e não cobra de nós aquilo que pediu para outros fazerem. Também não exige que sejamos ultratalentosos ou super-heróis. Antes, Deus nos pede fidelidade naquilo que nos confiou. Paulo disse: "De um encarregado espera-se que seja fiel" (1Co 4.2).

* * *

É essencial termos um relacionamento com Deus para construirmos um casamento duradouro e satisfatório. Sabemos que a vida cristã não termina com a salvação. A ênfase recai sobre o crescimento espiritual: tornar-nos parecidos com Cristo. Cada um de nós deve ser responsável pelo próprio crescimento espiritual. Ao mesmo tempo, o plano de Deus para o casamento é que compartilhemos nosso crescimento espiritual e nosso ministério. Podemos cumprir esse propósito divino orando, dialogando, estudando, servindo e sonhando. Não somos perfeitos, e muitas vezes nem nos parecemos com Cristo, mas acreditamos que, "se vivemos na luz, como Deus está na luz, temos comunhão uns com os outros, e o sangue de Jesus, seu Filho, nos purifica de todo pecado" (1Jo 1.7).

Questões para refletir

1. Qual a diferença entre crescimento espiritual e intimidade espiritual? Elas são mutuamente excludentes? Por quê?
2. Cite alguns motivos pelos quais um casal pode ficar relutante em falar sobre coisas espirituais. Algum deles se aplica ao seu casamento?
3. Você concorda com a seguinte declaração: "Todos os outros aspectos do casamento saem ganhando ou perdendo de acordo com nosso relacionamento com Deus". Se você concorda, que passos você e seu cônjuge estão dando para impactar seu casamento?
4. Vocês servem juntos como casal? Por exemplo, sendo responsáveis pelo café da manhã na igreja, sendo

voluntários em um abrigo para pessoas em situação de rua ou cuidando dos bebês durante o culto? Se vocês não estão servindo juntos, observe ao redor e peça que Deus os conduza a uma necessidade que vocês podem suprir. Lembre-se: mesmo algo que pareça pequeno aos seus olhos, pode ser significante para o reino de Deus.

Aceitamos

Comecem três novos hábitos esta semana: discutam uma questão espiritual, orem juntos e sonhem juntos. Ao discutirem questões espirituais, lembrem-se da diferença entre aceitação e concordância. Há diversas maneiras de fazer essa discussão, mas aqui estão algumas sugestões:

- *Em forma de tópicos.* Se isso é algo novo para você, pode utilizar a estratégia "O que a Bíblia fala sobre esse assunto?" para abordar certas questões.
- *De forma exegética.* Talvez você já esteja estudando um livro ou passagem específica; nesse caso, pode utilizar a estratégia "O que o Senhor está dizendo aqui?".
- *Recurso extra.* Leia um livro, um devocionário ou um estudo bíblico que o encoraje a consultar a Bíblia como seu principal recurso.
- *Vida diária.* Conversem sobre questões do cotidiano com as quais vocês estão lidando.
- *Orando.* Compartilhe o que o Senhor colocou em seu coração através da oração, observação ou revelação.

O próximo hábito com o qual se comprometer, pela primeira vez ou novamente, é orarem juntos. Combinem de dar as mãos para reforçar a unidade sempre que forem orar, seja em público ou não. Se estiverem a sós e orando em silêncio, o simples ato de dar as mãos é uma forma de demonstrar apoio contínuo; se estiverem orando em voz alta, apertar gentilmente as mãos do cônjuge é uma forma de dizer que você está ouvindo, que está com ele. Há uma força nessa energia unificada. Lembre-se, a forma de orar não é importante. É a experiência de orar juntos que unifica os corações.

E, finalmente, o terceiro hábito é começarem a sonhar juntos — sobre a vida, o casamento, as aventuras. Talvez leve algum tempo, especialmente se você estiver cultivando esses sonhos na segurança de seu próprio coração e mente. Eles podem ser ousados ou pequenos, podem ser apenas sugestões, o importante é que estejam compartilhando sobre eles. Se você compartilhou algum sonho individual, ele está alinhado com o sonho do seu cônjuge? Se está, comece uma lista e revisite-a de vez em quando. O que geralmente se ouve são frases do tipo: "Estava pensando que, se fizéssemos _____, talvez conseguiríamos chegar ao resultado _____ até o ano que vem". Parte da diversão é justamente planejar como fazer um sonho se tornar real, e é muito reconfortante saber que um quer que o outro seja parte da realização desse sonho!

23
Por que ninguém me contou isso antes?

Era uma tarde de sábado e minha palestra na cidade de Tucson já havia terminado. Os casais começavam a sair do auditório quando Andrew me procurou em prantos e disse: "Por que ninguém me contou isso antes? Eu aprendi mais sobre casamento nessas últimas horas do que em toda a minha vida. Se eu soubesse disso antes, meu casamento teria sido bem diferente".

Durante nossa conversa, Andrew disse que sua esposa, Lynn, o havia abandonado três semanas antes, dizendo que "não queria mais ficar casada". Andrew veio à palestra desesperado para descobrir as causas de seu fracasso. "Não sei se ela me dará outra chance", disse. "Queria ter aprendido essas coisas lá no começo."

É trágico, mas há milhares de Andrews e Lynns em nossa comunidade cristã. Alguns frequentam a igreja há anos e, exceto por algum sermão aleatório sobre casamento, receberam pouca ajuda para o desenvolvimento de uma união conjugal cristã. Nunca foram confrontados com os conceitos bíblicos de casamento de aliança e não possuem ferramentas para desenvolver a comunicação e a intimidade. Na prática, estão no mesmo nível dos casais não cristãos. Será que isso explica por que o índice de divórcios dentro da igreja é igual ao índice da sociedade secular?

Por ironia, Andrew e Lynn pertencem à geração que mais produziu livros e material cristãos sobre casamento.

O problema não está na falta de informação, mas na falta de compromisso. Andrew admitiu mais tarde que, antes de ir à minha palestra, nunca havia lido livros sobre casamento, participado de um retiro de casais, conversado com um conselheiro cristão ou falado com seu pastor sobre suas dificuldades no casamento. "Pensei que estava tudo em ordem", disse. "Só descobri que ela estava infeliz no dia em que me abandonou."

Sendo profissionais ou leigos na liderança da igreja, talvez queiramos aliviar nossa culpa dizendo que Andrew era apenas um marido ingênuo que deveria ter prestado mais atenção à esposa. Não estou eximindo Andrew de suas responsabilidades, mas não pude colocar toda a culpa nele quando percebi que se tratava de um membro que participava assiduamente de uma igreja havia vinte anos.

Pouco tempo atrás, participei de uma reunião com duzentos pastores de várias denominações. Ao final de minha apresentação sobre desenvolvimento matrimonial, perguntei: "Quantos de vocês possuem uma equipe ou um casal responsável por aprimorar os relacionamentos conjugais em suas igrejas?". Dos duzentos participantes, apenas cinco levantaram a mão. Isso significa que em 195 das 200 igrejas não há ninguém cuidando do assunto. Até mudarmos essa realidade, o número de Andrews e Lynns continuará aumentando em nossas congregações.

Se a igreja quer fazer diferença na cultura contemporânea, não há melhor forma de começar do que chamando a comunidade de Cristo para redescobrir os mandamentos bíblicos de um casamento de aliança. Como disse antes, minha formação acadêmica é na área de antropologia, o estudo das culturas. Nenhuma cultura jamais sobreviveu ao colapso do casamento e da família. A sociedade ocidental não será exceção. Se a tendência dos últimos vinte anos continuar, a civilização ocidental acabará destruindo a si mesma. A família é a unidade básica da estabilidade social. Quando ela perde sua influência na sociedade, a sociedade se torna instável.

Estou profundamente convencido de que a única esperança para mudarmos essa situação está na igreja cristã. A meu ver, todas as igrejas locais, de todas as denominações, precisam estabelecer programas regulares de desenvolvimento matrimonial em suas congregações. O casamento cristão só voltará a ser atrativo para o mundo secular quando começarmos a levar a sério os padrões bíblicos para o casamento.

Alguns anos atrás, quando escrevi com o dr. Ross Campbell o livro *Parenting Your Adult Child* [Educando seu filho adulto],* descobrimos que 87% dos adultos solteiros entre 20 e 30 anos gostariam de ter um casamento que durasse a vida inteira. São pessoas que assistiram ao divórcio dos pais e sentiram a dor do abandono. Elas não querem que isso se repita. No entanto, não têm ideia do que fazer para alcançar essa aspiração. O ser humano é egoísta por natureza, e seu desejo de ter um relacionamento conjugal vitalício geralmente está concentrado na satisfação individual. Ele quer o que acredita ser o melhor para si. Todavia, esse pensamento egoísta não produz um casamento duradouro.

A igreja cristã não possui apenas o modelo de um casamento de aliança. Ela possui também as instruções claras de Deus para alcançar esse casamento e o poder do Espírito Santo que nos capacita a amar incondicionalmente e dar nossa vida em

---

*Ross Campbell e Gary D. Chapman, *Parenting Your Adult Child* (Chicago: Northfield Publishing, 1999).

favor do outro. Esses são os ingredientes indispensáveis para um casamento de aliança.

Se você é membro de uma igreja, pastor ou leigo, peço-lhe encarecidamente que ore para que Deus levante em sua congregação um casal que tenha a visão e o entusiasmo necessários para liderar um programa de desenvolvimento matrimonial. Se sua congregação já tem um casal com essa responsabilidade, ore para Deus lhes dar sabedoria para planejar e executar programas com o potencial de transformar a vida dos casais em sua igreja. É na igreja que isso deve começar.

Esses programas de desenvolvimento matrimonial não precisam ser sofisticados nem caros. Podem ser tão simples quanto convidar dois ou três casais para ler um livro cristão sobre casamento e discutir sobre o assunto, incentivando-os a colocar em prática o que aprenderam.

Qualquer casal que tenha um casamento desenvolvido pode liderar outros casais. Não é necessário ter um casamento perfeito para ser líder de um programa matrimonial. Todos nós estamos no processo. Quanto mais aprendemos, mais temos para compartilhar. Começando de onde está, você pode desenvolver seu próprio casamento e ser um instrumento de Deus para ajudar outras pessoas.

Durante minhas palestras, incentivo os casais a terem duas atitudes que garantem o desenvolvimento do casamento. *Primeiro*, participar uma vez por ano de um programa de desenvolvimento matrimonial; pode ser uma palestra, um seminário de final de semana ou um curso mais prolongado em sua igreja local. *Segundo*, compartilhar um livro sobre casamento por ano. Conforme já vimos, os passos são os seguintes: leiam um capítulo por semana e comentem um com o outro algo que aprenderam sobre si mesmos. É uma maneira fácil de estimular a comunicação e incentivar o crescimento conjugal. Se você é pastor ou líder, sugiro que faça essas duas coisas para desenvolver seu próprio casamento e adquirir um preparo melhor para ministrar a outros casais.

Se você é pastor, sugiro que não lidere todos os programas de desenvolvimento matrimonial de sua igreja. Ore para Deus preparar um casal leigo que assumirá essa responsabilidade. Encoraje sua igreja a financiar a participação desse casal em congressos e seminários sobre casamento, onde poderão aprimorar suas habilidades para liderar esse programa. Inclua aconselhamento e terapia no orçamento da igreja. Alguns casais de sua congregação que encontram dificuldades no relacionamento conjugal não recebem a ajuda necessária porque não têm como pagar por ela. A igreja pode ajudar removendo esse obstáculo. Além disso, é um excelente investimento financeiro para a igreja. Cada casamento restaurado produz efeitos em centenas de outras pessoas.

Pastores e líderes que se recusam a aceitar a tendência atual de divórcios como algo inevitável, e desejam treinar casais cristãos para que desenvolvam as habilidades necessárias para manter um casamento de aliança, podem causar um impacto duradouro não apenas na cultura ocidental, mas também ao redor do mundo. O sucesso dos casamentos cristãos terá um grande impacto no reino de Deus, não apenas para a geração atual, mas também para as futuras.*

---

*Se você gostou do conteúdo deste livro, talvez queira estudá-lo em formato didático: ver Gary Chapman e Betty Hassler, *Covenant Marriage: Communication and Intimacy, Couple Guide* (Nashville, TN: LifeWay, 1999), que vem acompanhado de um guia para líderes, fornecendo ao casal responsável pelo programa ideias práticas para facilitar as discussões em grupo.

Questões para refletir

1. Considere as ideias e os exercícios que você fez desde o primeiro capítulo. Algum deles evoluiu a ponto de se tornar instintivo? Qual deles foi mais efetivo?
2. Levando em conta o que você aprendeu, não apenas o que leu, mas também o que colocou em prática, o que poderia fazer para ajudar outros casais em sua igreja? Dar um curso? Oferecer aconselhamento? Começar um fundo beneficente para enviar um casal com dificuldades para um encontro de casais?
3. Cite algo que você fez esta semana para incentivar seu cônjuge (verbalmente ou não).

Aceitamos

Anotem o nome de um evento para casais de que vocês participarão e o nome de um livro para casais que vocês lerão juntos nos próximos doze meses. Planejem a participação nesse evento, seja guardando dinheiro, se inscrevendo ou contratando uma babá. Façam planos para garantir sua participação. Mesmo que o evento dure apenas um dia e seja em sua cidade, considerem reservar um hotel agradável para que vocês tenham um tempo tranquilo como casal, depois que o evento terminar. Cultivem esse hábito todos os anos, como forma de fazer a "manutenção" do seu casamento.

Compartilhe suas impressões de leitura,
mencionando o título da obra, pelo e-mail
opiniao-do-leitor@mundocristao.com.br
ou por nossas redes sociais

Esta obra foi composta com tipografia Palatino
e impressa em papel Pólen Natural 70 g/m² na gráfica Assahi